MILENA
Verlag

Foto: Angelika Zach

HILDEGARD STEGER-MAUERHOFER

Geboren 1946 in Pöllau/Steiermark.
1980–1985 Referentin für Alternativ- und Projektgruppenarbeit der SPÖ, Bundessekretärin der ARGE Christentum und Sozialismus.
Am Renner-Institut für den Bereich »Frauenpolitik« verantwortlich.
Nach Pensionsantritt 2003 Studium der Politikwissenschaft. Derzeit Studium der Gender Studies an der Universität Wien.

Hildegard Steger-Mauerhofer

HALBE/HALBE!

Utopie Geschlechterdemokratie?

Zur partnerschaftlichen Teilung der
Versorgungsarbeit in Österreich

Mit einem Vorwort von Sieglinde Rosenberger
und einem Nachwort von Helene Klaar

Für Steffi!
Junge ff müssen
weiterkämpfen!
Herzlich Hildegard

Milena Verlag

In Kooperation mit dem Dr.-Karl-Renner-Institut

RennerInstitut

Gedruckt mit freundlicher Unterstützung durch
das Magistrat der Stadt Wien, die Magistratsabteilung 7 – Kultur, Wissenschafts- und Forschungsförderung;
das Bundesministerium für Wissenschaft und Forschung in Wien;
das Bundeskanzleramt Österreich, Sektion II – Frauenangelegenheiten und Gleichstellung

WIEN KULTUR BUNDESKANZLERAMT FRAUEN BM.W_F

Bibliografische Information Der Deutschen Bibliothek
Die Deutsche Bibliothek verzeichnet diese Publikation in der Deutschen Nationalbibliografie; detaillierte bibliografische Daten sind im Internet über http://dnb.ddb.de abrufbar.

Lektorat: Karin Ballauff
Covergestaltung: Silvia Wahrstätter
www.buchgestaltung.at
Satz und Layout: Vanessa Wieser
Druck und Bindung: Interpress, Budapest.

A-1080 Wien, Lange Gasse 51/10
www.milena-verlag.at

ISBN 978-3-85286-156-2

Inhaltsverzeichnis

Vorwort

Halbe/halbe ist im kollektiven Alltagswissen zur Geschlechterproblematik gut verankert. Als Floskel in Debatten eingeworfen, dient halbe/halbe dazu, sich gegenüber Emanzipation und Frauenpolitik zu positionieren, zumindest jedoch Sensibilität in diesem Feld zu signalisieren. Die nun bereits ein Jahrzehnt zurückliegende Kampagne »Ganze Männer machen halbe/halbe« vermochte nachhaltig zu vermitteln, was emanzipatorische Frauenpolitik substantiell eigentlich ist; worum es dabei (auch) geht – nämlich um Umverteilung von Arbeit zwischen Frauen und Männern und um Gerechtigkeit, die sich als paritätische materialisiert. Durch den Gesetzesentwurf zur partnerschaftlichen Teilung der Versorgungsarbeit, der moderate Änderungen im Familien- und Eherecht vorsah, mehr aber noch durch die diesen Entwurf begleitende Medienkampagne ist es gelungen, Gleichheit und Partnerschaftlichkeit in Bezug auf den privaten, persönlichen Alltag zu diskutieren, die potentielle Reichweite von Politik im Allgemeinen und Frauenpolitik im Besonderen zu kommunizieren. Rollendiskonformität zu normalisieren, attraktiv zu machen, war das Anliegen der TV-Spots, die partnerschaftliche Aufteilung unbezahlter Haus- und Betreuungstätigkeiten das Thema der Gesetzesinitiative.

Damals, im Jahre 1997, provozierte die Medienkampagne zum Gesetzesentwurf engagierte Rede und aufgeregte Widerrede. Provokation dürfte jedoch eines der wenigen probaten Mittel sein, um lang etablierte, folglich als »natürlich« empfundene Arbeitsteilungen infrage zu stellen. Jedenfalls ist es den handelnden Frauenministerinnen – Helga Konrad als Initiatorin, später Barbara Prammer – damit gelungen, für emanzipatorische Frauenpolitik, die auch im Privaten ansetzt, Öffentlichkeit herzustellen und auf diese Weise die so oft in frauenpolitischen Diskussionen eingefor-

derte Bewusstseinsarbeit zu leisten. Die Heftigkeit der Reaktionen trug ihrerseits zur breiten öffentlichen Wahrnehmung bei. BefürworterInnen wie GegnerInnen der Maßnahme haben, beabsichtigt oder nicht, über Formen und Ursachen von Geschlechterungleichheit breitenwirksam sensibilisiert.
Familienpolitische Änderungen, insbesondere wenn sie mehr Gleichheit der Geschlechter zum Ziel haben, haben in Österreich wiederholt emotionalisiert und nahezu dramatische Szenarien an die Wand malen lassen. Bereits die Familienpolitische Reform im Jahre 1975 ließ Gegner der Streichung des Grundsatzes des männlichen Familienoberhauptes das Ende des Abendlandes heraufbeschwören. Ähnlich heftig wurde Mitte der 1990er Jahre die Egalisierung des Namensrechts diskutiert. Folglich konnten die Reaktionen zur partnerschaftlichen Regelung der Haus- und Betreuungsarbeit nicht wirklich verwundern.

Medienkampagne und Gesetzesentwurf zur Teilung der Haus- und Betreuungsarbeit setzten das Private bzw. etwas, was als privat gilt, auf die politische Agenda. Mit anderen Worten: Die Frauenministerinnen handelten entsprechend dem Motto der Frauenbewegung seit den 1970er Jahren, wonach das Private als politisch zu betrachten sei. Die Kampagne forderte das in Geschlechterfragen als konservativ zu bezeichnende Politikverständnis heraus, genauer gesagt, sie legte sich an mit der konservativen Strategie, staatliche Regulation mit dem Verweis auf das Private (den persönlichen, familiären Nahraum betreffend) zu delegitimieren und dadurch geschlechteregalitäre Reformen zu verhindern. Diese Form des Privaten wurde nun politisiert in dem Sinne, dass es als politisch und interessengeleitet gemacht, wahrgenommen und folglich als veränderbar präsentiert wurde. Jene, die alles beim Alten lassen wollten, kritisierten den vermeintlichen Einzug der Politik ins Private (»die Polizei, die den Abwasch kontrolliert«); jene, die für Veränderung plädierten, die Frauenpolitikerinnen, argumentierten mit Gerechtigkeit, mit Chancengleichheit im Beruflichen, mit zur Norm erhobenen Partnerschaftlichkeit im Privaten.

Dieses hochsensible Politikfeld, nämlich eine bestimmte Form geschlechtsspezifischer Arbeitsteilung sowie die Optionen und Strategien zur Gestaltung der familiären Privatsphäre unter dem Blickwinkel von mehr Geschlechterdemokratie ist das Thema des von Hildegard Steger-Mauerhofer verfassten Buches.
Die Autorin zeigt, wie und unter welchen politischen Bedingungen die Re-Politisierung des vermeintlich Privaten stattfinden konnte, wie und warum die rechtliche Säule des »häuslichen« Patriarchats (die staatlich legitimierte Arbeitsteilung entlang der Geschlechtszugehörigkeit) zumindest Risse bekommen konnte. Die Autorin zeichnet detailreich den politischen Prozess der frauenpolitischen Initiative von der Formulierung bis zur Gesetzwerdung nach, sie beschreibt und hinterfragt die Rolle engagierter Politikerinnen wie Expertinnen, sie skizziert das politische und frauenpolitische Klima, in dem die Maßnahme popularisiert werden konnte. Das politische Umfeld war von der Konstellation der Großen Koalition geprägt, die frauenpolitische Situation durch eine vergleichsweise hohe Mobilisierung nicht zuletzt durch das so genannte Frauenvolksbegehren. Die Autorin bettet den politischen Prozess in die Zielperspektive nach mehr Geschlechterdemokratie bzw. -gerechtigkeit ein.

Deutlich wird in diesem Buch, dass sich Frauenpolitik letztlich den Notwendigkeiten von Parteien- und Koalitionspolitik unterzuordnen hat, zumindest weitgehend. Die Pro- und Contrapositionierungen hingen überwiegend von der Parteienzugehörigkeit ab, eine parlamentarische Frauenkoalition kam in dieser Frage nicht zustande. Ein Beispiel für Bündnispolitik ist die Kampagne wie die Gesetzesinitiative aber allemal, denn Frauen (und vereinzelt auch Männer) innerhalb und außerhalb politischer Institutionen und Parteien engagierten sich gemeinsam für dieses Anliegen. Halbe/halbe reaktivierte kurzfristig jene Kooperationsbereitschaft zwischen Frauenbewegung und Frauenpolitik, die während der Anfänge institutioneller Frauenpolitik durchaus erfolgreich war.

Im Jahre 1997 war der Gesetzesentwurf im Parlament nicht mehrheitsfähig. SPÖ und ÖVP konnten keine Einigung finden, die visionäre Frauenministerin Helga Konrad wurde sogar abberufen. Recht unspektakulär, ohne große Medienaufmerksamkeit und lediglich leicht modifiziert gegenüber dem Erstentwurf wurde jedoch schließlich das Thema im Jahre 1999 von der Nachfolgerin, Barbara Prammer, zur parlamentarischen Abstimmung gebracht. Hildegard Steger-Mauerhofer bearbeitet, beschreibt und analysiert auch diese Phase, rekonstruiert den Verhandlungsprozess und die Kompromissfindung. Auch darin liegt die aktuelle politische Relevanz dieser Forschungsarbeit: mit aller Deutlichkeit darauf hinzuweisen, dass im ABGB die gesetzliche Grundlage für die partnerschaftliche Teilung der Versorgungsarbeit geschaffen ist, dass es nun an der praktischen Anwendung dieses Gesetzes liegt. Dazu braucht es abermals Wissen. Dieses Buch stellt es in gut aufbereiteter Form zur Verfügung.

Wien, April 2007
Sieglinde Katharina Rosenberger

1 Einleitung

Das Interesse für das Thema des vorliegenden Buches, das aus meiner Diplomarbeit entstand, ist geprägt von meiner langjährigen beruflichen Arbeit und Erfahrung im Bereich der Frauenpolitik des Renner-Instituts, der politischen Akademie der Sozialdemokratie. Im Zentrum der bildungspolitischen Veranstaltungen stand das Anliegen, mehr Frauen für die politische Arbeit zu gewinnen und sie zu befähigen, Vertretungs- und Partizipationschancen auf allen Ebenen der Gesellschaft zu ergreifen. Tatsache ist, dass Frauen in der Gesellschaft einer Vielzahl von Barrieren gegenüberstehen. Gründe dafür sind im privaten wie auch im öffentlichen Bereich zu suchen. Nach wie vor treffen wir auf ein traditionelles Rollenverständnis von Frauen und Männern. Frauen tragen hauptsächlich die Verantwortung für die Versorgungsarbeit wie Haushalt, Pflege von Kindern und älteren Angehörigen, selbst dann, wenn sie einer vollen Erwerbstätigkeit nachgehen. Für Männer steht hingegen die Berufstätigkeit an erster Stelle; ER gilt als der Ernährer. Das Ernährerprinzip schlägt sich in sozialpolitischen Regelungen nieder (z.B. bei der Mitversicherung der Ehefrau in der Krankenversicherung und bei der Witwenpension).[1]

Die Ungleichverteilung der Versorgungsarbeit zwischen den Geschlechtern hat für Frauen Benachteilungen am Arbeitsmarkt zur Folge, wie beispielsweise ein Abdrängen in die Teilzeitbeschäftigung und damit verbundene Einkommensverluste. Damit die Vereinbarkeit von Beruf und Familie für beide Geschlechter möglich ist, sind Maßnahmen wie Arbeitszeitverkürzung für Eltern, verstärkte Väterkarenz, Kinderbetreuungseinrichtungen, Ganztagsschulen, Pflegeeinrichtungen usw. unabdingbar.[2]

Ein Beispiel, wie Frauen aus dem Arbeitsmarkt gedrängt werden und der Wiedereinstieg erschwert wird, ist die Maßnahme »Kindergeld für alle« – das Kinderbetreuungsgeld, das von der ÖVP-FPÖ-Regierung 2002 eingeführt wurde. Eine Studie des WIFO, die im Auftrag der Arbeiterkammer durchgeführt wurde, zeigt auf, dass »sich die Rückkehr der Frauen auf den Arbeitsmarkt durch die verlängerte Geldleistung deutlich nach hinten verschiebt«.[3]

Bei der Aufteilung der Versorgungsarbeit geht es um Machtfragen zwischen den Geschlechtern, um Geschlechterhierarchie. Das Ziel einer geschlechterdemokratischen Gesellschaft setzt eine paritätische Verantwortung beider Geschlechter in allen Lebensbereichen voraus.[4]

Das Beispiel Schweden zeigt, dass durch gesetzliche Maßnahmen und Bewusstseinsänderung in der individuellen und in der öffentlichen Einstellung Erfolge erzielbar sind. Im Unterschied zu Österreich wird in Schweden die dortige gesetzlich geregelte Elternkarenz von Vätern eher in Anspruch genommen. Dies gelingt auch deswegen, weil durch gesetzliche Regelungen die Einkommensverluste in der Karenzzeit geringer sind als in Österreich, ein flächendeckendes Netz staatlicher Kinderbetreuungseinrichtungen existiert und eine Arbeitszeitverkürzung um ein Viertel der normalen Arbeitszeit (Sechs-Stunden-Tag) für Eltern bis zum 8. Lebensjahr des Kindes gewährleistet ist. Diese gesetzlichen Bestimmungen unterstützen Eltern, die Verantwortung für die notwendigen Versorgungsarbeiten gemeinsam zu tragen. In Schweden wird dieses Modell eine »Zweiversorgerfamilie« genannt.[5]

Nachfolgende Abbildung zeigt die entsprechenden Regelungen in Schweden :[6]

Elterngeld, Elternurlaub, Arbeitszeit

Datum	Elterngeld	Kinderpflege	Sonstiges
1974	**6 Monate; Lohnersatz: 90%**	**10 Tage pro Familie**	
1979			**AZV: ¾ für Eltern bis zum 8. Lebensjahr**
1980	**12 Monate, 3 niedrig**		**10 Tage Vaterschaftsurlaub**
1995	**Lohnersatz: 80%**	**1985: alle Kinder ab 18 Mo bis Schule Zugang zu Vorschule**	**Recht auf Kindergartenplatz**
2002	**16 Monate, 3 niedrig**		

Quelle: Gabriele Schmid/AK-Wien

Auch in Österreich hat es von 1995 bis 1997 Versuche gegeben, die partnerschaftliche Teilung der Versorgungsarbeit durch gesetzliche Maßnahmen im Ehe- und Familienrecht zu normieren. Mit einer öffentlichen Kampagne »Ganze Männer machen halbe/halbe«, die von Frauenministerin Drin. Helga Konrad initiiert wurde, sollte ein entsprechender Bewusstseinsbildungsprozess in der Bevölkerung in Gang gesetzt werden. Dieser wurde jedoch durch die Abberufung von Helga Konrad aus dem Amt der Frauenministerin gestoppt.
Das Gesetzesvorhaben wurde von ihrer Nachfolgerin Maga. Barbara Prammer wieder aufgegriffen und einer gesetzlichen Regelung im Jahre 1999 zugeführt.

In der vorliegenden Arbeit soll mittels einer Politikfeldanalyse aufgezeigt werden, wie der politische Prozess von der Gesetzesinitiative bis zur Gesetzeswerdung verlaufen ist, welche Rolle die politischen Parteien und ihre RepräsentantInnen eingenommen und welche Argumente sie dabei vertreten haben. Ausgewählte Medienberichte ergänzen die Darstellung und Analyse der politischen Auseinandersetzung mit diesem Thema.

Nach Schubert und Bandelow[7] beschäftigt sich eine Politikfeldanalyse damit

- ▷ was politische Akteure tun,
- ▷ warum sie es tun und
- ▷ was sie letztlich bewirken.

Die politischen Akteure können sowohl Individuen sein, wie PolitikerInnen, JournalistInnen, WissenschaftlerInnen etc., als auch Organisationen, etwa Verbände (wie Gewerkschaften), Vereinigungen (wie Parteien) usw..

In der Politikfeldanalyse werden drei zentrale Begriffe verwendet, die miteinander im Zusammenhang stehen: Policy, Polity und Politics.

Policy ist der inhaltliche, materielle Teil von Politik. Dies können z.B. Gesetze, Verordnungen oder Entscheidungen sein, deren konkrete materielle Resultate die BürgerInnen direkt betreffen, oder sie können auch an ihnen vorbeigehen bzw. nur symbolischen Charakter haben. In der vorliegenden Arbeit entspricht dies der politischen Zielsetzung, die partnerschaftliche Teilung der Versorgungsarbeit gesetzlich zu verankern.

Polity ist bezogen auf die strukturellen (verfassungsmäßigen oder normativen) Aspekte von Politik und bezeichnet konkrete (tatsächliche oder gewünschte) politische Ordnungen. Beispielsweise erlangt die Gesetzesinitiative zur partnerschaftlichen Teilung der Versorgungsarbeit schließlich die gesetzliche Verankerung im Ehe- und Familienrecht und wird zur Norm.

Politics meint den prozessualen Aspekt von Politik und birgt den konflikthaften Prozess des Politikgestaltens in sich. Denn dabei muss auf die unterschiedlichen Interessen und Parteien sowie deren politische Absichten oder Forderungen Rücksicht genommen werden. Bei diesem Prozess werden politische Ideen im Rahmen bestimmter politischer Ordnungen in konkrete politische und sozioökonomische Forderungen, Vereinbarungen und Entscheidungen gefasst. Im vorliegenden Band wird die politische Auseinandersetzung der politischen Parteien im Parlament, in der Öffentlichkeit sowie die Diskussion und Meinungsbildung der ExpertInnen in den Arbeitsgruppen des Justizministeriums verfolgt und analysiert. Dieser Prozess führte letztlich zum Kompromiss für einen Gesetzesbeschluss.

Obwohl es bei der Dreiteilung – Policy, Polity, Politics – um eine konzeptionelle Differenzierung geht, bildet diese in der Praxis einen Zusammenhang. Die Politikfeldanalyse dient somit als Erklärung konkreter politischer Ergebnisse.

So wird zum Beispiel danach gefragt werden, warum in einem politischen System (Polity) diese oder jene Maßnahme gerade durchsetzbar war oder eben nicht. Dazu sind die jeweiligen politischen Prozesse (Politics) für die Erklärung heranzuziehen.

Bei dem hier zu untersuchenden Politikfeld, nämlich der Durchsetzung der partnerschaftlichen Teilung der Versorgungsarbeit, wird dieser politische Prozess von der Gesetzesinitiative der Frauenministerin Helga Konrad bis zur Gesetzeswerdung nachvollzogen: Welches Anliegen stand im Vordergrund, welche Strategien wurden zur Durchsetzung oder Verhinderung dieses Anliegens eingesetzt und welche Argumente bestimmten die politische Diskussion?

Die Politikfeldanalyse kann aber auch eine vergleichende Fragestellung zum Ziel haben. Es kann z.B. gefragt werden, warum eine Maßnahme unter differierenden politischen Rahmenbedingungen entweder durchsetzbar war oder eben nicht. Im Fall der vorliegenden Arbeit betrifft dies die Untersuchung, warum es innerhalb der Amtszeit von Frauenministerin Helga Konrad im Zeitraum April 1995 bis Ende Jänner 1997 nicht zur Beschlussfassung des Gesetzesvorhabens kam und welche Bedingungen maßgeblich waren, dass dieses Gesetz schließlich unter Barbara Prammer beschlussreif wurde.

2 Zentrale Begriffe

Innerhalb der Frauen- und Geschlechterforschung werden Begriffe diskutiert, die beim Thema partnerschaftliche Teilung der Versorgungsarbeit zentralen Stellenwert haben. Im Folgenden werden diese erläutert und mit dem vorliegenden Untersuchungsgegenstand in Verbindung gesetzt.

2.1 Privatheit – Öffentlichkeit: Freiheit für wen?

Die Auseinandersetzung mit dem Begriffspaar »Privatheit und Öffentlichkeit« hat für diese Untersuchung maßgebliche Bedeutung. Es geht darum, dass in der politischen Diskussion die Einflussnahme des Staates in die Privatsphäre – vor allem von konservativer Seite her – abgelehnt wird.

In dieser Perspektive sind die *citoyens* und *citoyennes* »mit spezifischen Abwehrrechten gegen den Staat ausgestattet«.[8] Demgemäß ist strikt zwischen dem öffentlichen, d.h. dem Einfluss der Politik unterliegendem und dem privaten, dem staatlichen Einfluss nicht zugänglichen Bereich zu unterscheiden. »Die Trennung in öffentlich und privat ist also konstitutiv für den modernen Staat«.[9] Die Herrschaft des Staates gilt nur beschränkt für das Öffentliche und klammert explizit den als privat definierten Bereich aus. Dieser Begriff bürgerlicher Freiheit – darauf macht Carole Pateman aufmerksam – beruht insofern auf patriarchalem Recht, als für ihn der Geschlechtervertrag ein konstitutives Element darstellt, welcher die Unterwerfung der Frauen durch die Männer festschreibt.[10]

Die Trennung in öffentlich und privat ordnet die Institution Ehe dem privaten Bereich zu, welche daher dem politischen Bereich entzogen ist. Zugleich liegt dem Ehe- und Familienrecht ein patriarchales Verständnis zugrunde, das eine die bürgerliche Gesellschaft stabilisierende Funktion innehat.

Dies kam besonders prägnant in der bis 1975 geltenden Fassung des § 91 ABGB aus dem Jahre 1811 zum Ausdruck: »Der Mann ist das Haupt der Familie. In dieser Eigenschaft steht ihm vorzüglich das Recht zu, das Hauswesen zu leiten; es liegt ihm aber auch die Verbindlichkeit ob, der Ehegattin nach seinem Vermögen den anständigen Unterhalt zu verschaffen, und sie in allen Vorfällen zu vertreten«.[11]

Wie Barbara Holland-Cunz deutlich macht, setzt der feministische Politikbegriff an der Kritik der Trennung von privat und öffentlich an und betont, dass das Private zum Kern des Begriffes des Politischen wird. »Diese Inklusion des Privaten versteht sich als unmittelbare Herrschaftskritik, da die Themen des Privaten nicht vorrangig als die Angelegenheit von ›Privatleuten‹ betrachtet werden; ›private Fragen‹ *müssen*, beispielsweise wenn es um sexualisierte Gewalt geht, die gesellschaftlichen Institutionen beschäftigen.«[12]

In diesem Zusammenhang kann eine Parallele zwischen dem Thema Gewalt an Frauen und Kindern und dem der partnerschaftlichen Teilung der Versorgungsarbeit hergestellt werden, weil es in beiden Bereichen um gesetzliche Einflussmöglichkeiten geht, die dem gesellschaftlich-institutionellen Bereich obliegen. Holland-Cunz weiter:

»Aus feministischer Perspektive zementiert der Ausschluss aller Themen des Privaten patriarchale Herrschaft, in dem er die Rechte derjenigen verletzt oder negiert, deren primärer Arbeits- und Verantwortungsbereich (Familie, Hausarbeit, Reproduktion) die so genannte Privatsphäre ist.«[13]

Dem vorgeblich freiwillig geschlossenen bürgerlichen Gesellschaftsvertrag liegt somit implizit ein herrschaftlich erzwungener Geschlechtervertrag zugrunde. Das Verständnis bürgerlicher Freiheit beruht daher auf der Unterwerfung der Frauen.[14] Konsequenterweise ist die Durchbrechung der Trennung der öffentlichen von der privaten Sphäre der Dreh- und Angelpunkt eines feministischen Verständnisses zur Gleichstellung der Geschlech-

ter und damit eine notwendige Voraussetzung für die Ermöglichung der Geschlechterdemokratie.
Folglich wären gesetzliche Regelungen zur partnerschaftlichen Teilung der Versorgungsarbeit im Ehe- und Familienrecht eine Form der Inklusion des Privaten in das Politische.

2.2 Geschlechtsspezifische Arbeitsteilung: Arbeitsteilung »aus Liebe«?

Anke Ochel[15] zeichnet die Entstehungsgeschichte geschlechtsspezifischer Arbeitsteilung nach, die sich nach Auflösung der agrarischen Feudalherrschaft durch den sich entwickelnden Kapitalismus vollzog. Ab Ende des 19. Jahrhunderts breitete sich die geschlechtlich zugeordnete Hausarbeit sowohl in bürgerlichen als auch in proletarischen Familien aus. Die ehemaligen Dienstboten wanderten in Fabriken ab, wo sie weniger persönlich abhängig waren und geregelte Arbeitszeiten hatten. Die damit verbundene größere Eigenständigkeit ermöglichte eine eigene Hausstandsgründung durch Heirat. Aus ehemaligen Dienstmädchen wurden unbezahlte Hausfrauen. Die Dienstbotenverknappung wirkte aber auch auf die bürgerlichen Hausherrinnen zurück, die nun die Hausarbeit im eigenen Heim unbezahlt »aus Liebe« verrichteten.
Anke Ochel verweist auf die Reproduktion geschlechtsspezifischer Arbeitsteilung durch den Sozialisationsprozess:

»Die im Sozialisationsprozeß vermittelten und angeeigneten Fähigkeiten sind also sowohl Folge wie Voraussetzung der geschlechtsspezifischen Arbeitsteilung.«[16]

Diese geschlechtsspezifische Arbeitsteilung als Quelle von Ungleichheit, weil der Lohn für die Hausarbeit allenfalls aus »Liebe« besteht[17], ist verknüpft mit ehelich-familialem Unterhalt und abgeleiteten Ansprüchen an die Systeme der sozialen Sicherheit.[18]
Ilona Kickbusch und Barbara Riedmüller bezeichnen daher die Analyse der Hausarbeit als »Schlüssel zum Verständnis der sozialen Wirklichkeit von Frauen« , weil sie die Diskriminierung der

Frauen auf dem Arbeitsmarkt und die gesellschaftliche Ungleichbehandlung von Frauen erklärt. Wieder begegnet uns das bürgerliche Gesellschaftsverständnis in Form strikter Trennung von privat und öffentlich: Hausarbeit ist privat, Berufsausübung öffentlich. Die Hausarbeit wird in ihrem ökonomischen Wert kaum wahrgenommen und »verschwindet als nicht professionelle Versorgung der Angehörigen in den häuslichen vier Wänden«.[20]
Dem Mann obliegt der Broterwerb, weshalb den Männern die besseren Berufs- und Verdienstchancen zugestanden werden. Zur gleichen Zeit wird den Frauen die Hausarbeit zugeordnet, und selbst wenn Frauen auch auf einem marktvermittelten Arbeitsplatz tätig sind, profitieren die Männer von der doppelten Arbeitsorientierung erwerbstätiger Frauen. Sie bleiben von der Doppelbelastung verschont und werden auf dem Arbeitsmarkt bevorzugt.[21]
Die Überwindung geschlechtsspezifischer Arbeitsteilung und der damit verbundenen Diskriminierung von Frauen setzt eine Neugestaltung von Produktionsformen, Arbeitszeiten und Arbeitsorganisationen sowie der notwendigen Infrastruktur, wie etwa im Bereich der Kinderbetreuung voraus.[22]

2.3 Familialismus als Ideologie

Im Zusammenhang mit partnerschaftlicher Teilung der Versorgungsarbeit muss der Begriff Familialismus näher beleuchtet werden, denn dahinter verbirgt sich jene Ideologie, die von konservativer Seite her immer wieder gegen eine gleichberechtigte Teilhabe von Männern und Frauen vorgebracht wird.
Die Politikwissenschafterin Erna Appelt nimmt dazu folgende Definition vor: »Unter Familialismus subsumiere ich jenes ideologisierende Familienverständnis, das auf ›Gemeinwohl‹ abzuzielen vorgibt, tatsächlich aber Geschlechterhierarchie im Sinn hat.«[23]
Den Bedürfnissen der Frauen gegenüber wird eine antiindividualistische Haltung eingenommen, die unter dem Deckmantel des

Wohles von Familie und Kindern männliche Ansprüche und weibliche Unterordnung sichern soll.[24] Mit dieser Ideologie des Familialismus wird verhindert, dass die Kategorie »Geschlecht« zu einer politischen Kategorie wird, und damit bleibt Politik eingeschlechtlich, männlich.[25]

In den Jahrzehnten nach dem Zweiten Weltkrieg bauten die europäischen Wohlfahrtsstaaten auf dem Familienerhalter/Hausfrauen-Modell auf. Die Erwerbsarbeit sollte den Männern vorbehalten bleiben. Durch die Sozialversicherungssysteme wird die Geschlechterhierarchie verfestigt.[26]
Da diese männliche Vorherrschaft im Sozialsystem europäischer Wohlfahrtsstaaten festgeschrieben ist, wird die Erwerbsarbeit der Frauen nach wie vor als zweitrangig angesehen, denn »die Strategie der Familialisierung geht davon aus, alle Frauen als potentielle Ehefrauen und Mütter zu behandeln«.[27] Als Auswirkungen dessen können z.B. die Benachteiligung der Frauen bei den Sozialleistungen angeführt werden, die an das Erwerbsleben gekoppelt sind, aber auch die Einkommensunterschiede zwischen Männern und Frauen.[28]
Erna Appelt plädiert dafür, dass die politische Ordnung »der gesellschaftlichen Räume der Öffentlichkeit und Privatheit analysiert werden müssen«[29], darauf hätten bereits feministische Theoretikerinnen wie Carole Pateman (1988), Nancy Fraser (1994) und andere hingewiesen. Im Zentrum steht die Familie als Versorgungsinstitution, sie ist somit zentraler und lebenswichtiger Bestandteil jeder bürgerlichen Gesellschaft.[30] In einer wissenschaftlichen Auseinandersetzung mit Susan Moller Okin, Janna Thompson und John Rawls schlussfolgert Appelt in diesem Zusammenhang: »Die gerechte Lösung der Betreuungs- und Versorgungsaufgaben von Gesellschaften steht also im Zentrum, sie ist Voraussetzung für alle weiteren Gerechtigkeitsüberlegungen«.[31]
Ilona Kickbusch zeigt auf, dass der Staat durch wohlfahrtsstaatliche Leistungen die geschlechtsspezifische Arbeitsteilung festigt. »Die Analyse der Familialisierung weiblicher Arbeit – ob bezahlt oder unbezahlt – muß eine Betrachtung der Rolle des Staates mit

einschließen.«[32] Da staatliche Reproduktionspolitik vorrangig Familienpolitik bedeutet, wird die Bindung der Frauen ans Haus gefestigt.[33]
Ilona Kickbusch führt drei Bereiche an, die von Frauen geleistet werden – Hausarbeit, Konsumarbeit, Beziehungsarbeit –, und subsumiert diese unter dem Begriff »unbezahlte Instandhaltungsarbeit«.[34] Mit dem Begriff Instandhaltungsarbeit wird ausgedrückt warum es geht: Jemand muss den Betrieb *Haushalt* instand halten. Diese Aufgabe wird im Familialismus den Frauen zugeordnet.

In einer weiteren Analyse führt Ilona Kickbusch an, »daß die existierende Sozialpolitik keine eigenständige Lebensführung der Frauen ermöglicht«.[35] Sie argumentiert damit, dass die staatliche Politik diesen Tatbestand mit dem Begriff der »Wahlfreiheit«[36] verdeckt. Eine feministische Analyse hingegen verdeutlicht die »No-win-Situation«.[37] Durch rechtliche Regelungen (z.B. Rentengesetzgebung, Mutterschaftsurlaub, Arbeitsmarktpolitik) wird die geschlechtsspezifische Arbeitsteilung verfestigt, weil sie »auf den dualen Lebenszusammenhang der Frau keine Rücksicht nehmen«.[38] Hierbei wird mit der Flexibilität der Frauen gerechnet, denn diese ist eine unabdingbare Voraussetzung für die Bereitstellung bezahlter und unbezahlter Instandhaltungsarbeit von Frauen.[39] Kickbusch resümiert: »Sie [die Flexibilität, Anm. d. Verfasserin] ist solange möglich, wie die Zuständigkeit der Frauen für die unbezahlte Hausarbeit aufrechterhalten wird.«[40]

2.4 Patriarchat als Herrschaftsinstrument

Der Begriff Patriarchat ist für die Geschlechterhierarchie und deren Determinierung durch die geschlechtsspezifische Arbeitsteilung zentral. Ein wesentliches Hindernis wird sichtbar, das einer partnerschaftlichen Teilung der Versorgungsarbeit entgegensteht. Sigrid Metz-Göckel beschreibt das Patriarchat als

»eine Form der Geschlechterhierarchie, die alle gesellschaftlichen Bereiche durchzieht, aber selbst historischen Wandlungen unterworfen ist und über Zwang und Gewalt, aber auch Verinnerlichungen, d.h. Psychologisierung der Über- und Unterlegenheitsstrukturen, bei Männern und Frauen aufrechterhalten wird«.[41]

Die US-amerikanische Historikerin Gerda Lerner definiert den Begriff Patriarchat umfassend als »Manifestation und Institutionalisierung der Herrschaft der Männer über Frauen und Kinder innerhalb der Familie und die Ausdehnung der männlichen Dominanz über Frauen auf die Gesellschaft insgesamt«.[42] Obwohl dieser Begriff impliziert, dass die Männer in den wichtigsten gesellschaftlichen Institutionen Macht ausüben, bedeutet dies jedoch nicht, dass den Frauen der Zugang grundsätzlich verwehrt ist und sie völlig machtlos, ohne Rechte und Einfluss sind. Lerner meint, dass es Aufgabe der Frauengeschichtsschreibung ist, die geschichtliche Entwicklung des Patriarchats zu analysieren, um daraus Schlussfolgerungen für Veränderungen aufzuzeigen.[43] In dieser historischen Dimension weist Lerner darauf hin, dass die Aufrechterhaltung des patriarchalen Systems nur mit der Mitarbeit der Frauen funktioniert und begründet dies u. a. damit, dass durch die soziale Geschlechtsdefinition, durch edukative Benachteiligung und durch die Verweigerung der Kenntnis ihrer Geschichte, Frauen das patriarchale System stützen.[44] Schließlich stellt die Historikerin klar: »Seit Jahrtausenden haben Frauen zu dem Prozess ihrer eigenen Unterwerfung beigetragen, indem sie die Idee ihrer eigenen Unterlegenheit internalisieren. Die Unkenntnis ihrer eigenen Kampfgeschichte und Leistung diente als einer der Hauptmittel, die Frauen unterdrückt zu halten«.[45]

2.5 Macht ist kein männliches Monopol

Im deutschsprachigen Raum beobachten wir unterschiedliche Machtbegriffe. Zum einen ist hier der *antagonistische Machtbegriff* von Max Weber zu nennen: »Macht bedeutet jede Chance, innerhalb einer sozialen Beziehung den eigenen Willen auch gegen Widerstreben durchzusetzen, gleichviel worauf diese Chance beruht«[46], und zum anderen der von Hannah Arendt aufgestellte *konsensuale Machtbegriff*: »Macht entspricht der menschlichen Fähigkeit, nicht nur zu handeln oder etwas zu tun, sondern sich mit anderen zusammenzuschließen und im Einvernehmen mit ihnen zu handeln.«[47]

Im Geschlechterverhältnis bilden Macht und Partriarchat eine enge Querverbindung. Wie Holland-Cunz aus feministischer Perspektive erklärt, »zementiert der Ausschluss aller Themen des Privaten *patriarchale Herrschaft*« (siehe Anm. 13). Barbara Schaeffer-Hegel bestätigt diese These mit der Feststellung: »Je größer die Trennung zwischen Öffentlich und Privat, um so stärker ist auch der Ausschluss der Frauen von der Macht«[48], und aus historischer Sichtweise betrachtet ist der moderne Staat »in seinen Anfängen gekennzeichnet von der perfekten Trennung von Öffentlich und Privat, der Frauen von den Männern und der Frauen von der Macht«.[49] In ihrer Analyse zum Machtbegriff stellt sie weiter fest, dass Macht kein Geschlecht hat und dass es kein Widerspruch ist, »wenn Frauen männliche Macht – Macht also, die Männer haben – bekämpfen und sie gleichzeitig für sich selbst anstreben«[50]. Dazu sind Konfliktfähigkeit, Bündnisfähigkeit und Frauennetzwerke nötig.[51]
Dieser Perspektive zufolge können sich die Machtbegriffe Webers und Arendts ergänzen: In der politischen Praxis sind sowohl Durchsetzungsfähigkeit als auch das Schmieden von Allianzen erforderlich.

2.6 Geschlechterdemokratie als Ziel

Würde die partnerschaftliche Teilung der Versorgungsarbeit in der Gesellschaft zum Mainstream, könnten auch patriarchale Strukturen in der Familie aufbrechen. Damit würde sich ein Weg zur Geschlechterdemokratie eröffnen.

Der Begriff Geschlechterdemokratie wurde von Halina Bendkowski in die Debatte eingebracht und »steht für den feministischen und frauenpolitischen Anspruch auf gerechte Partizipation, faire Repräsentation und Frauenförderungspolitik«.[52]

Barbara Schaeffer-Hegel bezeichnet das Projekt Geschlechterdemokratie als ein umfassendes gesellschaftliches Reformprojekt. Es macht die »grundlegende Neustrukturierung der sozial-, steuer-, renten- und versicherungspolitischen Infrastruktur unserer Gesellschaft erforderlich«.[53]

Der Schweizer Sozialwissenschafter Alberto Godenzi, der von 1988 bis 1993 Vizepräsident der Eidgenössischen Kommission für Frauenfragen war, hat bei einer Veranstaltung in Wien 1996 auf Einladung von Frauenministerin Helga Konrad zum Thema Geschlechterdemokratie referiert. Er stellte folgende Thesen ins Zentrum seiner Aussagen:

»Wir müssen die Bedingungen des Geschlechterverhältnisses kennen, wenn wir etwas verändern wollen.

Wir müssen die Funktionsmechanismen von Frauen und Männern kennen, wenn wir neue Bedingungen etablieren wollen.

Wir müssen uns u.a. fragen, wie können Männer ermutigt werden, sich zu verändern, und wie können Männer gezwungen werden, sich zu verändern.«[54]

Godenzi appellierte an die Einsicht, an den guten Willen, an die Moral und die Hoffnung auf eine beginnende Sensibilisierung. Diese müsse mit einer stattlichen Portion von verbindlichen Richtlinien, Verboten, Gesetzen kombiniert werden, die dafür sorgen, dass eine neue Struktur und Kultur entsteht, in der sich Männer neu zurechtfinden müssen. Um die Utopie einer Geschlechterdemokratie Wirklichkeit werden zu lassen, meinte Godenzi, »sollten (…) vor allem die Männer, denn bei uns liegt ja die Hauptverantwortung für die Misere, keine großen Energien darauf verwenden, individuelle Lösungen zu suchen, sondern an kollektiven Ansätzen arbeiten«.[55]

Bei dieser Veranstaltung nahm Frauenministerin Helga Konrad ebenfalls zur Geschlechterdemokratie Stellung. Ergänzend zu Alberto Godenzis Ausführungen meinte sie:

»Die Wirklichkeit der Ungleichstellung von Frauen und Männern in unserer Gesellschaft trennt uns von der Wirklichkeit der Geschlechterdemokratie. Noch immer wird die Überzeugung kultiviert, daß das Geschlechterverhältnis eine private Beziehungsangelegenheit ist und nicht eine gesellschaftliche Organisationsform, ein Herrschaftsverhältnis. Die Strukturen des Geschlechterverhältnisses – Asymmetrie, Hierarchie, Polarisierung und Macht – sind durch Emanzipation und Frauenpolitik nicht wirklich erschüttert. Das Beharrungsvermögen patriarchaler Männlichkeit ist groß – beim einzelnen Mann ebenso wie im Kollektiv der Männergesellschaft.«[56]

Angesichts dieser Ausgangslage prophezeite die Frauenministerin einen langwierigen Konflikt. »Während das Bewußtsein der meisten Frauen den realen Verhältnissen vorausgeeilt ist, stelle ich bei den meisten Männern bestenfalls eine verbale Aufgeschlossenheit bei gleichbleibender Verhaltensstarre fest.«[57] Sie als Frauenministerin sehe es deshalb als ihre Aufgabe, das Verhältnis der Geschlechter zueinander zu thematisieren: »Die politische Antwort auf diese undemokratische Situation müssen ernsthafte und ernst gemeinte Veränderungen gesellschaftlicher Strukturen zugunsten der Gleichstellung der Geschlechter sein: die gesellschaftliche Arbeit – also die bezahlte und nicht bezahlte Arbeit – muß umverteilt werden und die gleichen Rechte von Frauen und Männern müssen auch in der Rechtspraxis gesichert werden. Langfristig wird es auch den politisch verantwortlichen Männern nicht erspart bleiben, endlich zu begreifen, daß die patriarchale Gesellschaftsform mit einer echten Demokratie nicht zu vereinbaren ist.«[58]

Dieser Unvereinbarkeit zwischen Demokratie und patriarchaler

Gesellschaftsform sollte eine Gesetzesinitiative zur partnerschaftlichen Teilung der Versorgungsarbeit entgegenwirken, die die Gleichstellung der Geschlechter und somit die Geschlechterdemokratie zum Ziel hatte.

3 Geschlechtsspezifische Arbeitsteilung in Österreich: Von halbe/halbe weit entfernt

Wie bereits in Kapitel 2.2 dargelegt, ist ein wesentliches Hindernis für eine partnerschaftliche Teilung der Versorgungsarbeit die geschlechtsspezifische Arbeitsteilung.
1992[59] wurde untersucht, wie viel Zeit Männer und Frauen jeweils in Bezug auf Freizeit, Familie und Erwerbsarbeit aufwenden. Dabei wurde festgestellt, dass im diesbezüglichen Vergleich der Daten von 1981 und 1992 »sich gesellschaftliche Wandlungen höchst langsam vollziehen – wenn überhaupt«.[60] Denn im Vergleich zu 1981 zeigte sich, dass die ÖsterreicherInnen 1992 knapp 20 Minuten mehr für ihre Erwerbsarbeit und Ausbildung aufgewandt haben, wodurch sich die Freizeit der Frauen entsprechend verkürzte. Die Zeit für den Beruf blieb bei den Männern in den vergangenen zehn Jahren nahezu gleich. Für Familie und Haushalt haben »die Durchschnittsmänner (...) etwa eine halbe Stunden pro Tag länger« aufgewendet.[61]
Trotzdem, so das Fazit der Studie zur Zeitverwendung, ist es bis zur partnerschaftlichen Aufteilung noch weit: Drei Stunden und 20 Minuten Arbeit für Haushalt, Kinder und Pflege trennen Frauen und Männer.[62]

Auch eine Studie des Frauenbüros der Stadt Wien aus dem Jahre 2005, also mehr als zehn Jahre nach der zitierten Zeitbudgeterhebung, zeigt auf, wie langsam Veränderungen bei der Aufteilung der Versorgungsarbeit zwischen den Geschlechtern vor sich gehen. Immer noch würden acht von zehn Frauen die meiste Arbeit im Haushalt verrichten und 44 Prozent dabei gänzlich auf sich alleine gestellt sein. Trotzdem geben 62 Prozent an, mit der Verteilung der Haushaltspflichten (sehr) zufrieden zu sein. Dies trifft allerdings nicht auf Frauen mit Kind/ern zwischen sechs und neun Jahren zu. In dieser Gruppe zeigten sich nur 38 Prozent mit der derzeitigen Verteilung der Haushaltspflichten (sehr) zufrieden.[63]
Welche Schlussfolgerungen können daraus gezogen werden, dass

einerseits die Zufriedenheit an der Beteiligung der Versorgungsarbeit zu 62 Prozent gegeben ist, bei Frauen mit Kindern jedoch nur 38 Prozent beträgt?

Eine Erklärung für die grundsätzlich hohe Zufriedenheit mit der Aufteilung der Versorgungsarbeit trotz mangelnder Beteiligung der Männer könnte darin begründet liegen, dass Frauen patriarchale und bürgerliche Strukturen in der Gesellschaft, besonders in der Familie, verinnerlicht haben[64], wobei rechtliche Regelungen wie Kinderbetreuungsgeld und Arbeitsmarktpolitik dazu beitragen, die geschlechtsspezifische Arbeitsteilung aufrechtzuerhalten. Es wird mit der Flexibilität der Frauen gerechnet, die so lange wie möglich für die unbezahlte Hausarbeit zuständig sein sollen.[65]
Geschlechtsspezifische Arbeitsteilung benachteiligt Frauen am Arbeitsmarkt, im Bereich der Einkommenssituation, der Qualifikation und der Teilhabe an öffentlicher Repräsentanz. Immer mehr Frauen werden in die Teilzeitbeschäftigung gedrängt (1995 lag die entsprechende Quote Österreichs unter dem EU-Schnitt, heute liegt sie mit 39 Prozent über dem EU-Schnitt von 31 Prozent[66]), die dadurch mit enormen Einkommensverlusten rechnen müssen, die bis zur Alterspension ihre Fortsetzung finden.
Frauen werden wegen ihrer Fähigkeit, Kinder zu gebären, am Arbeitsmarkt als unsichere Arbeitskräfte angesehen, und damit sinken ihre Karrierechancen. Die Fokussierung auf die Haus- und Betreuungsarbeit bringt für Frauen einen Qualifikationsverlust und erhebliche Probleme beim beruflichen Wiedereinstieg mit sich. Berufstätige Frauen mit Kindern und (Ehe-) Partnern sind mit einer großen Arbeitsbelastung konfrontiert, die in Summe 71,8 Stunden pro Woche beträgt. Bei allein erziehenden berufstätigen Müttern liegt die Gesamtbelastung mit 68,5 Stunden unter jenen von Müttern mit Partnerschaften. Offensichtlich verursachen männliche Partner mehr an Hausarbeit für Frauen, als sie diesen abnehmen.[67]
Im internationalen Vergleich gibt Österreich zwar viel Geld für Familien aus, es werden jedoch den Geldleistungen Vorrang vor den Sachleistungen (wie Infrastruktur für Kinderbetreuung) ein-

geräumt. Diese Maßnahmen binden wiederum Frauen an eine traditionelle Arbeitsteilung und behindern ihre Erwerbsarbeit.[68]
Auch das Kinderbetreuungsgeld hat an dieser geschlechtsspezifischen Arbeitsteilung nichts Wesentliches geändert. Die Beteiligung der Väter stieg von 1 Prozent auf lediglich 3 Prozent.[69] In deutlichem Kontrast dazu steht die Präferenz von Frauen in Wien, die sich zu 65 Prozent eine Beteiligung der Männer an der Karenzzeit wünschen.[70]
Gisela Notz nennt wirksame Maßnahmen zur Überwindung geschlechtsspezifischer Arbeitsteilung und der damit verbundenen Diskriminierung von Frauen: Neugestaltung von Produktionsformen, Arbeitszeiten und Arbeitsorganisationen sowie notwendige Infrastruktur z. B. im Bereich der Kinderbetreuung.[71]

4 Frauenpolitik in den 1990ern: Politisches Umfeld

Die Frauenpolitik in Österreich fand in den neunziger Jahren des vorigen Jahrhunderts unter folgenden politischen Rahmenbedingungen statt:

Der Frauenanteil in hochrangigen politischen Positionen Österreichs war meist deutlich niedriger als ihr Anteil in der Bevölkerung. Dies kommt in folgenden Zahlen zum Ausdruck: Im Kabinett Vranitzky IV/1994 waren fünf von 22 Regierungsmitgliedern Frauen (vier Bundesministerinnen und eine Staatssekretärin), das entspricht einem Anteil von 22,7 Prozent.[72] Im mit 16 Personen verkleinerten Kabinett Vranitzky V/1996 wirkten drei Bundesministerinnen und eine Staatssekretärin, was eine Steigerung des Frauenanteils auf 25 Prozent zur Folge hatte.[73]

In der Regierung Klima 1997 blieb der Frauenanteil gleich.[74]

In den Parlamentsklubs der Parteien war der Frauenanteil sehr unterschiedlich ausgeprägt: Einen vergleichsweise hohen Anteil an weiblichen Abgeordneten wies die Parlamentsfraktion der Grünen auf. Er erhöhte sich zwischen 1994 und 1999 von 46,2 Prozent auf 50 Prozent. Beim Liberalen Forum waren im Jahr 1994 36,4 Prozent und 1995 50 Prozent Frauen im Parlament vertreten. Die SPÖ entwickelte ihren Frauenanteil im Jahre 1994 von 21,5 Prozent auf 32,3 Prozent im Jahr 1999. Die ÖVP erhöhte ihren Frauenanteil in diesem Zeitraum von 13,5 Prozent auf 23,1 Prozent. Den geringsten Frauenanteil hatte gegen Ende der neunziger Jahre die FPÖ. Er sank zwischen 1994 und 1999 von 21,4 Prozent auf 17,3 Prozent.[75]

Johanna Dohnal, die erste Frauenministerin der Republik, war 16 Jahre lang in der österreichischen Frauenpolitik tätig.

Im April 1995 nahm der damalige Bundeskanzler Franz Vranitzky eine Regierungsumbildung vor und bestellte Johanna Dohnals Wunschkandidatin Helga Konrad als ihre Nachfolgerin.[76] Wenige Monate später kündigte die ÖVP die erst 1994 erneuerte Große Koalition mit der SPÖ auf.

Dies war aus frauenpolitischer Perspektive deshalb bedauerlich, weil damit wesentliche frauenpolitische Anliegen nicht umgesetzt werden konnten. Helga Konrad nannte in diesem Zusammenhang: eine Milliarde Schilling für die Förderung ganztägiger Kinderbetreuungseinrichtungen, Maßnahmen gegen Gewalt gegen Frauen und die Schaffung von entsprechenden Interventionsstellen, die Regionalisierung der Gleichbehandlungsanwaltschaft und die Institutionalisierung von Frauenservice- und Beratungseinrichtungen.[77]

Einen ganz besonders prominenten Stellenwert nahm in diesem Kontext das Fehlen partnerschaftlicher Teilung der Versorgungsarbeit ein, was, wie der Zehnjahresbericht über die Lage der Frauen aus dem Jahr 1995 hervorstrich, Frauen dazu zwinge, unsichere Beschäftigungen anzunehmen und im Vergleich zu Männern wesentlich schlechtere Einkommen in Kauf zu nehmen.[78] Daher strebte Helga Konrad eine gesetzliche Änderung des Ehe- und Familienrechts an.

Die Nationalratswahlen vom 17. Dezember 1995 stärkten die SPÖ, die abermals eine Koalitionsregierung mit der ÖVP bildete. In weiterer Folge kam es im Februar 1997 zu einem Regierungswechsel an der Spitze der Koalition. Dem bisherigen Bundeskanzler Franz Vranitzky folgte sein Finanzminister Viktor Klima als Regierungschef. Einer der ersten Akte, die Viktor Klima setzte, war der Wechsel im Ressort des Frauenministeriums. Helga Konrad war mit der erst kurz laufenden Kampagne »Ganze Männer machen halbe/halbe« in den Blickpunkt der Medien geraten und hatte damit auch in der Koalition für Aufregung und Unstimmigkeiten gesorgt. Konrad wurde von Viktor Klima abberufen. Barbara Prammer, bisher Landesrätin in Oberösterreich, genoss das Vertrauen des Bundeskanzlers und wurde neue Frauenministerin. Das Frauenministerium wurde zusätzlich mit den Agenden des Konsumentenschutzes betraut. Die SPÖ-ÖVP-Koalition wurde bis zu den Nationalratswahlen am 3. Oktober 1999 fortgesetzt.

Die gesetzlichen Veränderungen zur partnerschaftlichen Teilung der Versorgungsarbeit und die damit verbundenen Gesetzesnovellen wurden zu Ende der Gesetzgebungsperiode noch im Juni 1999 im Parlament beschlossen und traten mit 1.1.2000 in Kraft. Die Nationalratswahlen 1999 brachten für die bisherigen Koalitionsparteien SPÖ und ÖVP Verluste. Monatelange Koalitionsverhandlungen scheiterten und endeten mit einer neuen Regierungskoalition zwischen ÖVP und FPÖ ab Februar 2000.

5 Partnerschaftliche Teilung der Versorgungsarbeit: Der Politikprozess

5.1 Gleichstellung der Geschlechter in der Bundesverfassung als Staatszielbestimmung

Im November 1993 veranstaltete das Renner-Institut, die politische Akademie der SPÖ, ein mehrtägiges Symposium, bei welchem ein Grundrechtskatalog zur Gleichstellung der Geschlechter diskutiert und der Vorschlag einer Expertin zur Neufassung des in diesem Zusammenhang maßgeblichen Art. 7 Abs. 1 der Bundesverfassung präsentiert wurde.[79] Im Jahr 1994 fand im Parlament eine Veranstaltung des Renner-Instituts und der SPÖ-Frauen zum Thema »Frauengrundrechte in die Verfassung«[80] statt, bei der ebenfalls die verfassungsrechtliche Gleichstellung im Zentrum stand. Diese Initiativen zeigen, dass die Sozialdemokratie in den neunziger Jahren des vorigen Jahrhunderts die Gleichstellung der Geschlechter in der Bundesverfassung zum Thema machte und damit den Boden für eine spätere verfassungsrechtliche Regelung aufzubereiten half.

Zu Beginn ihrer Amtszeit stellte Frauenministerin Helga Konrad am 25.4.1995 die Schwerpunkte ihrer Arbeit vor. Im Mittelpunkt standen zwei Anliegen, die zu gesetzlichen Veränderungen führen sollten. Die Gesetzesinitiative zur partnerschaftlichen Teilung der Versorgungsarbeit und die Gleichstellung der Geschlechter in der Bundesverfassung. Im Arbeitsübereinkommen der SPÖ-ÖVP Regierung 1994 wurde bereits das Ziel der »Neugestaltung des verfassungsrechtlichen Gleichheitsgrundsatzes: Behandlung des Themas der Gleichstellung der Frauen im Rahmen der Grundrechtsreform«[81] festgeschrieben.

Ziel des Gesetzes war die »Verankerung des Grundsatzes der Gleichberechtigung der Geschlechter in der Verfassung zur Vereinheitlichung der inhomogenen Rechtslage und Klarstellung von

Interpretationsergebnissen zur verbesserten Anwendung und Durchführung der bereits vorhandenen einfachgesetzlichen Gleichbehandlungsgebote im Bereich der Vollziehung und Gerichtsbarkeit«.[82]

Die parlamentarische Beratung und Beschlussfassung darüber war für Herbst 1995 vorgesehen. Zustimmung zu diesem Gesetzesvorhaben kam von den Grünen und dem Liberalen Forum, die diese Forderungen zur Gleichstellung in der Verfassung unterstützten[83] (siehe auch Kapitel 6.2.3 und 6.2.4).

Die ÖVP wollte diesem Vorhaben nicht zustimmen und drängte auf eine Junktimierung zwischen dem Anliegen zur Gleichstellung von Mann und Frau in der Verfassung und der verfassungsmäßigen Verankerung von Ehe und Familie. Dies geht aus einem Interview in »Freitag aktuell« vom 27. Oktober 1995 mit Frauenministerin Helga Konrad hervor, das nach dem Bruch der SPÖ-ÖVP-Regierung geführt wurde. Konrad bedauerte in diesem Interview, dass »die verfassungsrechtliche Verankerung der De-facto-Gleichberechtigung warten«[84] müsse. »Diese Verankerung wäre aber ganz wichtig, um frauenpolitische Fördermaßnahmen wirksam abzusichern.«[85] Es war absehbar, so Konrad, »daß die ÖVP die Verankerung nicht wollte und blockiert hat – obwohl es im Koalitionsabkommen festgeschrieben«[86] war.

Als Barbara Prammer 1997 Frauenministerin und SPÖ-Frauenvorsitzende wurde, blieb das Ziel der SPÖ und der SPÖ-Frauen weiter aufrecht, die Gleichstellung von Frau und Mann als Staatszielbestimmung in der Verfassung zu verankern. Ein fertiger Initiativantrag lag vor, die ÖVP wollte jedoch nur zustimmen, wenn auch die Familie verfassungsrechtlich verankert würde.[87] In einem Interview sprach sich SPÖ-Gleichbehandlungssprecherin und Vorsitzende des parlamentarischen Gleichbehandlungsausschusses Elisabeth Hlavac im Zusammenhang mit den Verhandlungen nach dem Frauenvolksbegehren (siehe Kapitel 8.1) gegen eine Junktimierung aus und begründete dies damit, dass sie eine Junktimierung der Verankerung der Familie in der Verfassung mit der Gleichstellung von Frauen und Männern in der Verfassung für absolut verfehlt halte. Das wäre auch nicht das Ergebnis des Gesprächs des Frauenforums (UFF – Unabhängiges Frauenforum) mit der Bundesregierung gewesen, wenn auch manche ÖVP-Politiker dies so darstellen wollten. Elisabeth Hlavac lehnte es kategorisch ab, eine Verankerung der Familie in der Verfassung aufzunehmen, denn damit würden Errungenschaften für die Frauen, vor allem für die unabhängigen und selbständigen Frauen, in Frage gestellt und Alleinerzieherinnen benachteiligt. Sie berief sich auf die Meinung von VerfassungsrechtlerInnen, die sogar die Fristenregelung in Gefahr sehen würden.[88]

Die Rechtshistorikerin Drin. Ursula Floßmann wies im übrigen darauf hin, dass der Versuch der ÖVP, eine Staatszielbestimmung zugunsten der Gleichstellung der Geschlechter mit der Verankerung von Ehe und Familie in der Verfassung zu junktimieren, rechtlich unbegründet sei, denn

»die Menschenrechtskonvention bietet als unmittelbar anzuwendende Verfassungsnorm der Ehe und Familie bereits einen Schutz, der den von der Gleichstellungsdebatte betroffenen Frauen noch abgeht, weil die UN-Konvention zur Beseitigung jeder Form von Diskriminierung der Frau unter Erfüllungsvorbehalt steht«.[89]

Schließlich wurde die Verfassungsänderung am 16.4.1998 mit einer Zweidrittelmehrheit im Nationalrat angenommen.[90] Dieses Ergebnis kann dem Druck sowohl der SPÖ als auch des Frauenvolksbegehrens zugeschrieben werden und ist als Erfolg beider Bemühungen zu werten.
Der nunmehr geltende Artikel 7 (2) des B-VG lautet (BGBl I 1998/68) lautet:
»Bund, Länder und Gemeinden bekennen sich zur tatsächlichen Gleichstellung von Mann und Frau. Maßnahmen zur Förderung der faktischen Gleichstellung von Frauen und Männern insbesondere durch Beseitigung tatsächlich bestehender Ungleichheiten sind zulässig.«[91]

5.2 Gesetzesvorhaben zur partnerschaftlichen Teilung der Versorgungsarbeit

Als ein erster Vorläufer für eine Änderung im Ehe- und Familienrecht gilt eine Enquete zum Thema »Frauen und Recht«.[92] Diese wurde in Zusammenarbeit zwischen der ersten österreichischen Frauenministerin Johanna Dohnal und Justizminister Dr. Nikolaus Michalek im Jahre 1993 im Palais Auersperg in Wien durchgeführt. Rechtsanwältin Drin. Helene Klaar, die als Expertin eine wesentliche Rolle im Zuge der Ehe- und Familienrechtsreform spielte, wies darauf hin, dass diese Enquete die Initialzündung für eine Arbeitsgruppe zur Erarbeitung eines neuen Ehe- und Familienrechts war.[93]

Im Arbeitsübereinkommen der SPÖ-ÖVP-Koalition von 1994 wurde dann die »Weiterentwicklung des Familienrechts, um die partnerschaftliche Teilung der Familienarbeit sicherzustellen«[94], vereinbart.

Vor diesem Hintergrund strebte Frauenministerin Helga Konrad als ein vordringliches Ziel die gesetzliche Verankerung einer »partnerschaftlichen Aufteilung der in den Familien anfallenden Haus- und Pflegearbeit zwischen Frauen und Männern«[95] an. Der zeitliche Rahmen für die parlamentarische Beratung und Beschlussfassung war für Herbst/Winter 1995 vorgesehen.

Folgende Problemstellung und Zielsetzung wurde im Arbeitsprogramm der Frauenministerin formuliert:

»Mit der Familienrechtsreform wurde das Prinzip der partnerschaftlichen Ehe im Ehe- und Familienrecht verankert. In der Praxis hat sich eine partnerschaftliche Aufteilung der in den Familien anfallenden Haus- und Pflegearbeit zwischen Frauen und Männern aber bei weitem noch nicht durchgesetzt. Auch die Gerichte urteilen in einschlägigen Fragen oft nach überkommenen Vorstellungen über die Rollenaufteilung unter den Geschlechtern. Zur Beschleunigung der Bewußtseinsbildung sollen folgende Gesetzesänderungen vorgenommen werden:

§ 91 Allgemeines Bürgerliches Gesetzbuch (ABGB):
Zur derzeit geltenden Soll-Bestimmung der einvernehmlichen Gestaltung der Haushaltsführung und Erwerbstätigkeit unter den EhegattInnen ist ein ›Verhaltenskodex‹ als Soll-Bestimmung aufzunehmen, in dem die Pflichten detaillierter ausgeführt werden.
§ 94 Absatz 2 ABGB:
Im Rahmen der Unterhaltsregelungen ist auf die bereits derzeit bestehende Verpflichtung der Ehegatten (in der Regel die des Mannes) ausdrücklich hinzuweisen, bei Berufstätigkeit des anderen Ehegatten (meist der Frau) auch zur Haushaltsführung beizutragen.
§ 49 Ehegesetz:
Im Rahmen der Eheverfehlungen, die als Scheidungsgründe geltend gemacht werden können, ist die Nichtbeteiligung an der Haus- und Pflegearbeit ausdrücklich im Gesetz anzuführen.«[96]

Die Frauenministerin konkretisierte diese Vorschläge zur Gesetzesänderung insofern, als es nicht darum gehe »daß der Polizist in der Küche kontrolliert, wer die Hausarbeit macht«[97]. Es gehe vielmehr um Bewusstseinsänderung. »Es soll daher festgehalten werden, dass der Ehepartner an der Hausarbeit ›mitzuwirken‹ hat.«[98] Weiters soll »in einem Pflichtenkodex [vorher als Verhaltenskodex bezeichnet, Anm. der Verfasserin] präzisiert werden, welche Bereiche einvernehmlich zu gestalten sind«.[99] »Im Ehegesetz soll außerdem ausdrücklich die Nichtbeteiligung an der familiären Haus- und Pflegearbeit als schwere Eheverfehlung und somit als Scheidungsgrund gelten.«[100]
Von anderen politischen Parteien und insbesondere dem Koalitionspartner in der Regierung, der ÖVP, sowie von Seiten der Medien wurde dieses Anliegen teilweise sehr kritisch beobachtet und kommentiert. Um nur einen Eindruck zu vermitteln, wie dieses Vorhaben offensichtlich das Nervenzentrum der Männerwelt getroffen hat, seien hier einige Schlagzeilen aus den Medien angeführt:

- Untätigkeit im Haushalt als Scheidungsgrund, »Die Presse«, 15.7.1995
- Pascha muß jetzt die Küche putzen, »Die Furche«, 10.8.1995

- ▷ Das Gesetz gegen Machos. Der Zwang zur Hausarbeit wird zum politischen Streit im Herbst. Müssen Männer künftig per Gesetz gleich viel putzen wie Frauen? »News« 34/95, 24.8.1995
- ▷ Die Männer haben Angst: Ministerin Konrad zum umstrittenen Gesetzestext – und wie sie ihn durchziehen will. »News« 34/95, 24.8.1995
- ▷ Hausmänner bei der Arbeit. Schürzenträger. Drei Männer, für die Haushalt und Kindererziehung bereits Alltag ist. »News« 34/95, 24.8.1995
- ▷ Hausmänner: Schein und Sein. Zankapfel Haushalt: Zwischen Worten und Taten klafft eine große Lücke. Vor allem, wenn Männer über ihre Leistungen reden. »Kurier«, 5.1.1996
- ▷ Die Verweigerung der Hausarbeit schon bald eine Eheverfehlung? »Die Krone«, 11.3.1996
- ▷ »Ganze Männer« regen auf. Die Werbekampagne, die Männer zum Hausputz bewegen soll, ist heftig umstritten. Ministerin Konrad hart: Brauchen Gesetz. »News« 3/97 (o. D.)
- ▷ Eherecht: Drum prüfe, wer sich nicht ewig bindet. Schon das geltende Gesetz verlangt Aufteilung der Hausarbeit zwischen den Ehepartnern. »Kurier«, 15.1.1997

Zum Vorhaben der Frauenministerin brachte ÖVP-Generalsekretärin Maria Rauch-Kallat einen weiteren Vorschlag in die Debatte ein, der einen Ehevertrag und eine Ehe-information über die Rechte und Pflichten einer Ehe zum Ziel hatte. »Ehe mit Vertrag. Männer müssen in Zukunft an den Herd.«[101] Zum Vorschlag Rauch-Kallats befragt stellte Helga Konrad fest: »Ich sehe das positiv. Jetzt kommt offensichtlich auch die ÖVP drauf, daß die Umverteilung der Versorgungsarbeit […] ein zentraler Punkt ist und daß Handlungsbedarf besteht«.[102] Konrad hofft, dass es dann wohl auch eine Einigung über eine entsprechende Formulierung im Gesetz geben könne.

Für das Gesetzesvorhaben der Frauenministerin zur Verankerung der partnerschaftlichen Teilung der Versorgungsarbeit im Ehe- und Familienrecht wurden in Zusammenarbeit mit dem Bundesministerium für Justiz Arbeitsgruppen zur Beratung eingesetzt.

Federführend verantwortlich war das Justizressort. In einem Schreiben vom 20. Juli 1995 von Justizminister Nikolaus Michalek an Frauenministerin Helga Konrad bezog sich dieser auf das Arbeitsübereinkommen zwischen SPÖ und ÖVP (1994), dass »im Eherecht ein Versorgungsausgleich für den Erwerb von Pensionsansprüchen im Falle der Scheidung zu gestalten ist«.[103]
Der Justizminister schlug aufgrund der Gesamtproblematik der Scheidungsfolgen vor, dass eine aus Experten bestehende Arbeitsgruppe zunächst die Frage der Reformbedürftigkeit des Scheidungs-, Scheidungsfolgen- und Scheidungsverfahrensrechtes klären und danach Lösungsvorschläge erstatten soll.[104]

In der Arbeitsgruppe waren vertreten: ExpertInnen des Justiz-, Frauen- und Familienministeriums, des Bundesministeriums für Arbeit und Soziales, der Klubs der politischen Parteien im Parlament, der Volksanwaltschaft, der Vereinigung österreichischer Richter, der Österreichischen Notariatskammer, des Obersten Gerichtshofes, des Landesgerichtes für Zivilrechtssachen Wien, der Rechtsanwaltskammer Niederösterreich, Wien und Kärnten, des Instituts für Rechts- und Kriminalsoziologie, der Universitäten Wien, Salzburg und Bielefeld, der Österreichischen Kinderfreunde, des Arbeitskreises Familienrecht der Zukunfts- und Kulturwerkstätte, des Österreichischen Familienbundes, der Bundeskammer für Arbeiter und Angestellte, des Hauptverbandes der Österreichischen Sozialversicherungsträger, der Wirtschaftskammer Österreichs, der Präsidentenkonferenz der Landwirtschaftskammern Österreichs, des Katholischen Familienverbandes, des Österreichischen Familienbundes, der Arbeitsgemeinschaft Sozialhilfe und Jugendwohlfahrt in Österreich, Sektion Jugendwohlfahrt, des Vereins der Amtsvormünder Österreichs, des Freiheitlichen Familienverbandes, die Kinder- und Jugendanwältin des Bundes.[105]
Seitens des Frauenministeriums wurde für diese Arbeitsgruppe als Expertin die Rechtsanwältin Drin. Helene Klaar und die Mitarbeiterin des Büros der Frauenministerin Drin. Anna Sporrer nominiert. Aus den vorliegenden Protokollen der Arbeitsgruppe und

Dokumenten, die ich von Helene Klaar zur Verfügung gestellt bekommen habe, konnte ich den Inhalt der angestrebten Reformen und den damit verbundenen Diskussionsprozess nachvollziehen. Auf Diskussionen innerhalb dieser Arbeitsgruppe werde ich noch detaillierter zu sprechen kommen.

Für die Frauenministerin waren zwei Zielsetzungen von besonderer Wichtigkeit, die eine Gleichstellung der Geschlechter herbeiführen sollten.

Erstens soll »programmatisch in den §§ 90, 91, 94 und 95 ABGB ausgeführt werden, daß die Verpflichtung zur Haushaltsführung, der Pflege und Erziehung der Kinder und der Versorgung von älteren und pflegebedürftigen Angehörigen bei Berufstätigkeit beider Ehegatten für den Mann wie für die Frau gleichermaßen besteht«.[106]

Zweitens »soll als – einzige – Konsequenz der Mißachtung dieser Pflichten in § 49 Ehegesetz als Scheidungsgrund die Vernachlässigung von Haushaltspflichten ausdrücklich angeführt werden«.[107]

Konkretere Vorstellungen der Frauenministerin waren Folgende: Ähnlich wie die Verpflichtung im § 90 ABGB – wonach ein Ehegatte am Erwerb des anderen mitzuwirken hat, soweit ihm dies zumutbar und es nach den Lebensverhältnissen der Ehegatten üblich ist – solle verankert werden, dass ein Ehegatte an der Haushaltsführung mitzuwirken habe, sofern der andere Ehegatte selbst erwerbstätig ist.

Den § 91 ABGB betreffend solle in einem »Pflichtenkodex« näher spezifiziert werden, welche Bereiche im Einzelnen einvernehmlich zu gestalten seien. Dazu gehöre neben der Hausarbeit im engeren Sinne die Erziehung und Pflege von Kindern und die Betreuung von älteren bzw. pflegebedürftigen Familienangehörigen.

Im § 94 Abs.2 ABGB solle entsprechend den Änderungen in §§ 90 und 91 ABGB wieder festgehalten werden, dass bei Berufstätigkeit beider Ehegatten auch beide ihren Beitrag zur gemeinsamen Deckung der Lebensbedürfnisse durch Haushaltsführung zu leisten hätten.

Im § 95 solle klargestellt werden, dass es bei der Führung des gemeinsamen Haushaltes – unter Berücksichtigung beruflicher Belastung – nicht um eine Mithilfe geht, sondern dass bei der Berufstätigkeit ihrer Ehefrau Männer eigenverantwortlich ihren Beitrag zu leisten hätten. Diese Klarstellung wurde auch deshalb als notwendig angesehen, weil die Vernachlässigung von Haushaltspflichten durch die Frau bereits in der bisherigen zivilgerichtlichen Judikatur Anwendung finde und dies unter umgekehrten Verhältnissen ebenfalls einen Scheidungsgrund darstellen würde. Ganz wichtig war der Frauenministerin, dass im § 49 des Ehegesetzes ausdrücklich die Nichtbeteiligung an der familiären Haus- und Pflegearbeit als Eheverfehlung verankert werde.[108]

Welche Argumente und Positionen standen in der Arbeitsgruppe[109] dem Anliegen der Frauenministerin entgegen und welche ideologischen Denkmuster werden dabei sichtbar?
In der Debatte der ersten Sitzung der Arbeitsgruppe machte Justizminister Nikolaus Michalek klar, dass Änderungen des Scheidungsrechts »gesellschaftspolitisch besonders heikel«[110] sind, weil Ehe und Familie oftmals als »Keimzelle«[111] unserer Gesellschaft bezeichnet würden. Deshalb dürfe der Gesetzgeber »nicht gleichsam auf jeden öffentlichen Zuruf mit einer Gesetzesänderung reagieren«.[112] Die Tradition der legislativen Arbeitsweise des Bundesministeriums für Justiz sei es, »bei rechtspolitisch heiklen und schwierigen Projekten eine Meinungsbildung auf möglichst breiter Basis herbeizuführen«.[113]
Die hier angesprochene »Keimzelle von Ehe und Familie« finden wir im ÖVP-Grundsatzprogramm in dem Satz »Wir wollen die Familie als Keimzelle der Gesellschaft besonders fördern«[114] wieder. Eine Gesetzesänderung – so Nikolaus Michalek weiter – müsse sich auf eine breite Meinungsübereinstimmung berufen können. Um dies erreichen zu können, solle die Arbeitsgruppe aus einschlägigen Experten, interessierten Gruppen und Vereinigungen sowie den im Parlament vertretenen Parteien zusammengesetzt werden. Nur dann könne mit einer breiten parlamentarischen Zustimmung und einem hohen Maß an gesellschaftspolitischer Akzeptanz gerechnet werden.[115]

Demgegenüber brachten die Vertreterinnen des Frauenministeriums folgende Positionen ein:
Die Nichtbeteiligung an der familiären Haus- und Pflegearbeit solle im § 49 EheG als Eheverfehlung ausdrücklich angeführt und im § 91 ABGB solle die Verpflichtung der Ehegatten zur gleichteiligen Mitwirkung an der Hausarbeit verankert werden.[116]

Ich werde nun die in der Diskussion der ExpertInnen verwendeten Argumentationen darlegen, im Besonderen jene, die den Anliegen der Frauenministerin skeptisch gegenüberstanden. Es wird zu prüfen sein, inwieweit die in Kapitel 2 behandelten Denkmuster des Familialismus, des Patriarchats sowie der Trennung von privat und öffentlich in der österreichischen Expertendiskussion auftauchten.
Die Vertreterin des Katholischen Familienverbandes, Maga. Caecilia Lipp, vertrat die Meinung wie folgt:

»... ein großes Anliegen ist das Bestehen der Ehe und nicht der Scheidung. Wir halten eine gesetzliche Verpflichtung zur Haushaltsarbeit für entbehrlich, das Problem ist durch das partnerschaftliche Verhalten der Ehe zu lösen, das schon im Gesetz Eingang gefunden hat.«[117]

In eine ähnliche Richtung argumentierte Drin. Barbara Helige von der Österreichischen Richtervereinigung, die »vor einer allzu detaillierten Regelung (Haushaltsführung!)«[118] warnte.
Hier kann ein internalisiertes Verständnis von Familialismus angenommen werden, das auf ›Gemeinwohl‹ abzuzielen vorgibt, tatsächlich aber Geschlechterhierarchie im Sinn hat.[119]
Die Vertreterin vom Klub der Grünen im Parlament, Maga. Terezija Stoisits, konnte dem Vorschlag der Frauenministerin Helga Konrad hingegen »sehr viel abgewinnen«.[120]
In der Arbeitsgruppensitzung vom 22.2.1996 verdeutlichte Helene Klaar, dass der Vorschlag der Frauenministerin zur Neuregelung des Gesetzes »eine Bewußtseinsbildung bewirken«[121] soll und dass insbesondere »auch die Frauen auf das Prinzip der partnerschaftlichen Ehe mit besonderem Nachdruck hingewiesen werden sollen, weil ihrer Ansicht nach besonders bei den Frauen ein Informationsdefizit«[122] bestünde. Helene Klaar erläuterte im Interview:

»Das Frauenministerium forderte in diesem Zusammenhang die Normierung der beiderseitigen Berufstätigkeit als Teilprinzip der partnerschaftlichen Ehe, anderslautende Vereinbarungen sollten der Schriftform bedürfen bzw. sollte der Partner, der sich auf eine vom Prinzip der partnerschaftlichen Ehe abweichende Regelung beruft, hiefür beweispflichtig werden.«[123]

Univ. Prof. Dr. Michael Schwimann, Universität Salzburg, wies auf die vorgeschlagene Neufassung der §§ 90 und 91 ABGB hin und meinte, dass »die gesetzliche Gestaltung der persönlichen Ehewirkungen vor allem deshalb problematisch sei, weil die derzeitige Entwicklung und Erziehung von Kindesbeinen an zu Individualität und zu Egoismus«[124] führe und es durch »gesetzgeberischen Zwang mit dem Zeitpunkt der Eheschließung keine ›engelsgleiche Partnerschaft‹ hergestellt werden«[125] könne. Es seien auch »sämtlich für wünschenswert gehaltene Grundsätze der Partnerschaftlichkeit bereits im Gesetz verankert, jede Spezifizierung müsse kontraproduktiv sein«.[126]

Ein Gesetzesvorschlag, der die partnerschaftliche Teilung der Versorgungsarbeit zum Ziel hatte, traf in der Arbeitsgruppe auf ein Verständnis bürgerlicher Freiheit, das aus feministischer Perspektive auf patriarchalem Recht beruht und für den Geschlechtervertrag ein konstitutives Element darstellt. Der Geschlechtervertrag schreibt die Unterwerfung der Frauen unter die Männer fest. Die patriarchale Herrschaft verletzt und negiert die Rechte derjenigen, deren primärer Arbeits- und Verantwortungsbereich (Familie, Hausarbeit, Reproduktion) die so genannte Privatsphäre ist.[127]

Zugunsten eines partnerschaftlichen Prinzips im Gesetz äußerten sich hingegen die Volksanwältin Maga. Evelin Messner und der Vertreter des SPÖ-Klubs Dr. Kurt Stürzenbecher.

In einer Auseinandersetzung zum § 90 ABGB zwischen dem Senatspräsidenten des Obersten Gerichtshofes Mag. Werner Engelmaier und Anna Sporrer vom Frauenministerium wurden die Differenzen zum Begriff partnerschaftliche Ehe diskutiert, die bei der geschlechtsspezifischen Arbeitsteilung anknüpfen. Werner Engelmaier hielt den

»Begriff der partnerschaftlichen Ehe dann jedenfalls für problematisch, wenn zwingend vorausgesetzt wird, daß diese nur dann geführt wird, wenn beide einem außerhäuslichen Erwerb nachgehen. Dies führe zu einem beiderseitigen Zwang zur Berufstätigkeit«.[128]

Das Gegenargument von Anna Sporrer verdeutlicht die Sicht des Frauenministeriums, wonach auf die beiderseitige Erwerbstätigkeit nicht verzichtet werden könne. Denn, »sofern die Frau weiterhin primär zur Hausarbeit verpflichtet wäre, hätte dies eine Reflexwirkung am Arbeitsmarkt und im Berufsleben, weil die Frau weiterhin als ›unsichere Arbeitskraft‹ – da mit Familie und Kindererziehung belastet – angesehen würde«.[129]

Zu einem späteren Zeitpunkt kam es zur Gründung von Unterarbeitsgruppen. Jene mit dem Titel »Ehewirkungen«[130] ist in unserem Zusammenhang wichtig. Im Zuge der Diskussion in dieser Unterarbeitsgruppe strich Helene Klaar hervor, dass das Vorhaben des Frauenministeriums, die partnerschaftliche Eheführung im § 91 ABGB zu verankern, deshalb notwendig sei, weil bisher der § 91 ABGB »ein wenig zu schwammig«[131] sei. Daher sollte nach den Vorstellungen des Frauenministeriums die »Verpflichtung zur Haushaltsführung, der Pflege und Erziehung der Kinder und der Versorgung von älteren und pflegebedürftigen Angehörigen bei Berufstätigkeit beider Ehegatten für den Mann wie für die Frau gleichermaßen bestehen«.[132] Zusätzlich sollte im § 49 EheG als Scheidungsgrund die Vernachlässigung von Haushaltspflichten ausdrücklich angeführt werden.[133]

Univ. Prof. Dr. Hans Hoyer, Universität Wien, vertrat in Hinblick auf eine Determinierung die Auffassung, dass diese nur dann einen Sinn habe, »wenn man sich auf den wesentlichen Kern beschränke«.[134] Er befürchte nämlich ansonsten eine »Flucht aus der Ehe«[135], weshalb es nicht notwendig sei, »noch etwas im § 49 EheG als schwere Eheverfehlung besonders aufzuzählen«.[136]

Als Vertreterin des Bundesministeriums für Umwelt, Jugend und Familie wandte sich Maga. Theresa Stourzh gegen die Vorstellungen des Frauenministeriums, wenn es darum gehe »Unterhalt, Haushaltsführung, Erziehung und Pflegearbeit fifty-fifty«[137] aufzuteilen, denn das würde »für das Familienministerium einen zu starken Eingriff bedeuten«.[138]

Mit dieser Position wird die Debatte um die Trennung von privat und öffentlich angesprochen. Barbara Holland-Cunz macht in ihrer Analyse deutlich, dass der feministische Politikbegriff am antitraditionalistischen Verständnis der Beziehung zwischen privat und öffentlich ansetzt. So wird das Private zum Kern des Begriffes des Politischen und Herrschaftskritik zum Thema. So genannte private Fragen, wie zum Beispiel die sexualisierte Gewalt, müssen die gesellschaftlichen Institutionen beschäftigen.[139]

Der Leitende Staatsanwalt Dr. Michael Stormann wies als Vertreter des Justizministeriums in der Arbeitsgruppe darauf hin, dass bereits das geltende Recht Einfluss auf die private Lebensgestaltung der Ehegatten nehme. Es sei »ja das phantastische an unserer partnerschaftlichen Gestaltung, daß das geltende Recht zur Gestaltung verpflichte«[140] und es sei »einer der wirklich genialen Tricks des Gesetzgebers von damals, die Eltern, die Ehegatten hätten die Verpflichtung, verkürzt ausgedrückt, permanent partnerschaftlich zu gestalten«[141] und »im geltenden Eherecht wäre es ja eine Eheverfehlung, auch im Sinne des § 49 EheG, wenn ein anderer ablehne, bei geänderten Verhältnissen über eine neue partnerschaftliche Gestaltung zu sprechen«.[142]

Dieser Auffassung, die partnerschaftliche Gestaltung der Versorgungsarbeit sei im geltenden Recht ohnedies ausreichend verankert, trat Helene Klaar in der Sitzung der Unterarbeitsgruppe vom 23.5.1996 entgegen.[143] Für sie ist »auch die Verletzung der Mitwirkung im Haushalt«[144] ein Grund für die Zerrüttung der Ehe. Als Beispiel führt sie an:

> »Viele Frauen könnten sich eher damit abfinden, daß der Ehemann irgendeinmal einen Seitensprung macht, als daß er sich nie um Kinder und Haushalt kümmert. Trotzdem sei eine Scheidung relativ schwierig. Komme dann heraus, daß der Mann, der nie Geschirr wäscht und sich sonst um nichts kümmert, eine Freundin hat, dann werde das geradezu als Glücksfall empfunden, jetzt aus einem Grund zu klagen, der eigentlich nicht wirklich die Zerrüttung der Ehe ausgelöst habe, aber grünes Licht für eine Scheidung bedeute.«[145]

Die Vertreterin der Rechtsanwaltskammer Niederösterreich, Drin. Eva Wagner, meint dazu, dass deshalb, »weil der Mann das Geschirr nicht abwäscht oder staubsaugt, sich keine Frau scheiden lasse«.[146] Helene Klaar erwiderte, dass eine »völlige Mißachtung der Verpflichtung zur Mitwirkung bei der Haushaltsführung von vielen Frauen als ehezerstörend empfunden werde«.[147] Dies gelte besonders dann, wenn beide berufstätig sind und immer nur die Frau für den Haushalt und die Kinder zuständig sei.[148]
Nochmals bekräftigt das Frauenministerium in einem Brief an das Justizministerium zum Kurzprotokoll der 3. Sitzung am 22.2.1996[149] seine Position zur Änderung des Scheidungs-, Scheidungsfolgen- und Scheidungsverfahrensrechtes. Als Begründung für die eingebrachten Vorschläge wird angemerkt, dass auch durch die Gesetzesänderung aus 1975 die Haus- und Pflegearbeiten zwischen Frauen und Männern nicht partnerschaftlich geregelt werden, denn bestehende »gesellschaftliche Vorstellungen und Rollenzuweisungen«[150] würden dies verhindern. Eine Reform hätte »bewußtseinsbildende Funktion«.[151] Die Bedeutung der partnerschaftlichen Teilung der Haus- und Familienarbeit zwischen Männern und Frauen sei nicht nur »rechtspolitisch wünschenswert«[152], sondern stelle in Bezug auf die »Benachteiligung von Frauen in ökonomischer Hinsicht eine Notwendigkeit dar«.[153] Ergebnisse der Gleichbehandlungskommission und sozialwissenschaftliche Untersuchungen zeigten, dass die Hauptursache für die Schlechterstellung der Frau am Arbeitsmarkt ihre familiären Verpflichtungen seien; Frauen wären unsichere, weniger flexiblere Arbeitskräfte und daher sehr oft von der beruflichen Aus- und Weiterbildung ausgeschlossen. Mit den vorgeschlagenen Regelungen solle ein »Beitrag zur Umverteilung der unbezahlten und bezahlten Arbeit zwischen Frauen und Männern«[154] geleistet werden.
Deshalb solle » programmatisch in den §§ 90, 91, 94 und 95 ABGB verdeutlicht werden, daß die Verpflichtung zur Haushaltsführung, der Pflege und der Erziehung der Kinder und der Versorgung von älteren und pflegebedürftigen Angehörigen bei Berufstätigkeit beider Ehegatten für den Mann wie für die Frau gleichermaßen besteht«.[155]

Dieser Position standen die Überlegungen des Bundesministeriums für Umwelt, Jugend und Familie zum Reformvorhaben »Eherecht, Scheidungsrecht, Scheidungsfolgenrecht, Scheidungsverfahrensrecht«[156] gegenüber, die vom Leiter der Abteilung IV/6, Dr. Ewald Filler, zusammengefasst wurden. Zur partnerschaftlichen Haushaltsmitwirkung wurde gegenüber den Vorschlägen des Frauenministeriums kritisch Stellung genommen wie folgt:

Einerseits sprach man sich für die Aufnahme des Prinzips der Partnerschaftlichkeit in den §§ 91 und 94 ABGB aus, andererseits war man gegen die Erweiterung des Kataloges von Ehescheidungsgründen um den Tatbestand der Verletzung der Pflicht zur partnerschaftlichen Haushaltsführung deshalb, weil »zum einen kann eine grobe Verletzung dieser Aufgabenverteilung nach der Judikatur der Höchstgerichte bereits nach geltendem Recht als Ehescheidungsanlaß geltend gemacht werden«.[157] Daher bedürfe es dazu keiner gesetzlichen Neuregelung. Zum anderen solle es keine exemplarische Heraushebung eines einzelnen Aspektes des ehelichen Zusammenlebens unter »Berufung auf das Prinzip der Partnerschaftlichkeit« geben, da auch jegliche sonstigen »unpartnerschaftlichen Verhaltensweisen von Ehegatten explizit als Scheidungsgründe qualifiziert werden müßten«.[158] Das kann nicht Ziel einer modernen Eherechtsreform sein, so die Position des Familienministeriums, welches unter Berufung auf Wissenschaft und Praxis eine Zurückdrängung der Verschuldensfrage als adäquat ansehen würde.[159]
In weiterer Folge, meint der Autor Dr. Filler, soll der »mit einer solchen Ausweitung der Verschuldenstatbestände verbundenen, bis in die privatesten Lebensbereiche von Eheleuten reichenden Einsichtnahmemöglichkeit und Bewertungspflicht des Richters (…) eine klare Absage erteilt werden«.[160]

Der hier offensichtlich gewordene Widerstand, im Rahmen der Eheverfehlungen die Nichtbeteiligung an der Haus- und Pflegearbeit oder »unpartnerschaftliche«[161] Verhaltenweisen an sich als Scheidungsgrund ausdrücklich im Gesetz zu verankern, kann auf

das Verständnis zurückgeführt werden, dass der private vom öffentlichen Bereich zu trennen ist.
In dieser Phase der Diskussion zeichnete sich noch keine Einigung in der Arbeitsgruppe ab, vor allem die Positionen der von den involvierten Ministerien nominierten ExpertInnen divergierten deutlich.
Die SPÖ machte jedoch weiterhin Druck und platzierte bei der SPÖ-Klubtagung in Bad Tatzmannsdorf/Burgenland Anfang Jänner 1997 einen frauenpolitischen Schwerpunkt. Die Frauenministerin und SPÖ-Bundesfrauenvorsitzende Helga Konrad stellte gemeinsam mit der SPÖ-Gleichbehandlungssprecherin und Vorsitzenden des parlamentarischen Gleichbehandlungsausschusses Elisabeth Hlavac die beiden angestrebten Gesetzesinitiativen dem Gremium vor. Zum einen waren dies die gesetzliche Festschreibung der partnerschaftlichen Teilung der Versorgungsarbeit im ABGB und im Eherecht und zum anderen der Gesetzesentwurf zur tatsächlichen Gleichstellung von Frauen und Männern in der Verfassung als Staatszielbestimmung.[162]
In einem Interview mit der oben genannten SPÖ-Zeitschrift »Frau & Politik« hat Elisabeth Hlavac die Gesetzesinitiative »Zur partnerschaftlichen Teilung der Versorgungsarbeit« damit begründet, dass Frauen im Berufsleben durch ihre Familienpflichten benachteiligt sind, und auch der Arbeitgeber würde in der Frau wegen ihre familiären Pflichten keine voll leistungsfähige Arbeitskraft sehen. Bei einem Mann würde die Familie als Ruhepol gesehen, hier könne er die Kraft für seine beruflichen Leistungen tanken. Deshalb soll Haushaltsführung, Betreuungsarbeit und Erwerbstätigkeit von den Ehepartnern gemeinsam wahrgenommen und einvernehmlich aufgeteilt werden. Wenn die Lasten vorwiegend bei der Frau liegen, so soll sie das Recht haben, sich dagegen zu wehren.[163]

Elisabeth Hlavac stellte schlussendlich in Abgrenzung von bürgerlichen Vorstellungen der Trennung von privat und öffentlich fest: »Der Grundsatz der Partnerschaft ist im übrigen keine private Frage, sondern eine gesellschaftspolitische.«[164]

Von den Befürworterinnen der Gesetzesinitiative wird also unterstrichen, dass die partnerschaftliche Teilung der Versorgungsarbeit nicht auf den privaten Bereich verwiesen werden kann. Durch eine gesetzliche Regelung sollen Männer zur partnerschaftlichen Teilung der Versorgungsarbeit verpflichtet werden. Damit soll eine gleichberechtigte Ausgangssituation für beide Geschlechter geschaffen werden, um dem Ziel einer Geschlechterdemokratie näher zu kommen.
Die Gesetzesinitiative von Frauenministerin Helga Konrad wurde Ende 1996 durch eine medienwirksame Kampagne in der Öffentlichkeit begleitet.[165]

5.3 Die Kampagne »Ganze Männer machen halbe/halbe«

»Ganze Männer machen halbe/halbe«, diese Initiative der Frauenministerin zu Umverteilung der Versorgungsarbeit startete am 18. Dezember 1996 mit einer Informationskampagne, für die die Filmemacherin Doris Dörrie drei Spots mit »ganzen Männern« gedreht hat.[166]
Die Kampagne war auf drei Jahre angelegt und hätte – wie Helga Konrad in einem Interview für die Diplomarbeit von Elisabeth Kromus darlegte – verschiedenste Phasen beinhaltet[167]. Zunächst sollte das Anliegen in der Öffentlichkeit mit Pressekonferenzen, zahlreichen Interviews und mit Hilfe von Werbespots im Radio und Fernsehen lanciert werden. Weiters sollten Veranstaltungen, Seminare und Konferenzen unter Einbeziehung von Journalistinnen und Journalisten folgen, um eine Bewusstseinsbildung auf breiter Ebene in Gang zu setzen. Schließlich sollte die Kampagne mit Plakaten und Werbeeinschaltungen fortgesetzt werden. Mit der Abberufung Helga Konrads als Frauenministerin wurde die Kampagne allerdings abgebrochen und daher bei weitem nicht im geplanten Umfang durchgeführt. Sie hat nur rund sechs Wochen gedauert.

Als Begründung für die Notwendigkeit der Kampagne hat Frauenministerin Helga Konrad bei der ersten öffentlichen Präsentation Folgendes ausgeführt:

»Die meisten Frauen haben es längst satt,

- daß sie schlechtere Berufschancen haben als Männer,
- daß sie geringer eingestuft werden als Männer mit derselben Ausbildung,
- daß sie keine ausreichenden Betreuungsplätze für ihre Kinder haben,
- daß sie im Alter mit Minipensionen auskommen müssen, weil sie für die Versorgungsarbeit allein verantwortlich sind.

Sie haben es satt und fordern Veränderungen. Frauen fordern die gleichen Chancen, sie fordern die gleiche Verantwortung und eine entsprechende Entlohnung – dafür wollen sie mit den Männern auch die Versorgungsarbeit gerecht aufteilen.«[168]

Helga Konrad legte den Schwerpunkt ihrer Argumentation darauf, dass Änderungen im Verhalten der Männer nicht auf freiwilliger Basis zustande kommen würden; es seien gezielte politische Maßnahmen erforderlich:

»Frauen wollen Gerechtigkeit und fordern deshalb eine aktive Gleichstellungspolitik, weil Gerechtigkeit nicht von alleine kommt. Tradierte Strukturen brechen nicht von selbst auf, sie müssen gezielt aufgebrochen werden. Das heißt: Versorgungsarbeit muß gezielt, muß bewußt umverteilt werden. Das heißt: die partnerschaftliche Teilung der Versorgungsarbeit muß im Ehe- und Familienrecht definiert werden. Deshalb verhandelt die Frauenministerin eine Weiterentwicklung des Ehe- und Familienrechts mit dem Justizminister.«[169]

In der Folge setzte Helga Konrad diese Anliegen ausdrücklich in den Kontext der Geschlechterdemokratie:

»Benachteiligungen und die Behebung der Ungerechtigkeiten gehen nicht nur die Frauen etwas an. Eine Gesellschaft, die Ungerechtigkeiten nicht entschieden bekämpft, ist eine ungerechte, eine undemokratische Gesellschaft und dieses Manko betrifft alle Mitglieder dieser Gesellschaft – Frauen und Männer. Die Übernahme familiärer Verantwortung ist kein freundliches Zugeständnis engagierter (Haus-)Männer, sie ist ein Grundelement gelebter Demokratie. Demokratie in der persönlichen Beziehung heißt auch gemeinsam Verantwortung für familiäre Pflichten und Rechte übernehmen und tragen. Diese gemeinsame Verantwortlichkeit, diese Partnerschaft, dieses demokratische Verhalten will die Frauenministerin mit ihrer Kampagne provozieren.«[170]

Ziel der Frauenministerin war die Herstellung des Zusammenhanges zwischen politischer Kampagne und der daraus folgenden Gesetzesinitiative.[171]
Der Start der Kampagne fand in den Medien große Beachtung. Beispielsweise veröffentlichte die Tageszeitung »Der Standard« ein Foto mit dem Untertitel »Wie aus halben ganze Männer werden«[172], welches die Frauenministerin und den Familienrechtsexperten im Justizressort, Michael Stormann, mit T-Shirts zeigte, die in der Kampagne als Werbemittel eingesetzt wurden und den Aufdruck »Ganze Männer machen halbe/halbe – ganze Männer gesucht« trugen. Die Kampagne der Frauenministerin, so »Der Standard« weiter, wolle insbesondere junge Männer überzeugen, in der Versorgungsarbeit mit den Frauen halbe/halbe zu machen.[173]
Die Kampagne kann deshalb als erheblicher Erfolg bewertet werden, weil es ihr gelang, die Bevölkerung in einem hohen Ausmaß zu erreichen. Dies belegt eine Umfrage des Linzer *market*-Instituts, wonach die Kampagne acht von zehn ÖsterreicherInnen aufgefallen sei[174] und immerhin 55 Prozent der Befragten gaben an, dass sich die Männer mehr an der Hausarbeit beteiligen sollten, während nur rund ein Fünftel (Männer unterschieden sich von Frauen im Antwortverhalten nicht) eine Teilung der Hausarbeit eindeutig ablehnte.[175]
Es gelang also trotz der kurzen Dauer der Kampagne offenbar, den Bewusstseinsbildungsprozess bezüglich der erforderlichen Teilung der Versorgungsarbeit wirksam zu unterstützen.
Auch die Alltagserfahrung belegt den Erfolg der Kampagne: Das Thema halbe/halbe ist bis heute bei vielen Menschen präsent. Das ist angesichts des doch mittlerweile langen Zeitraumes, der seit der Kampagne vergangen ist, sehr bemerkenswert.
Wie wichtig Helga Konrad das Thema halbe/halbe war, kann daran ersehen werden, dass sie die partnerschaftliche Teilung der Versor-

gungsarbeit auch in ihrer letzten Rede als Frauenministerin vor dem Plenum des Nationalrates ins Zentrum stellte. Sie zitierte aus der Deklaration der 4. Weltfrauenkonferenz der UNO wie folgt:

»Wir sind entschlossen, alles Erforderliche zu tun, um alle Formen der Diskriminierung von Frauen und Mädchen zu beseitigen und alle Hindernisse aus dem Weg zu räumen, die sich der Gleichberechtigung der Geschlechter und der Förderung und der Machtgleichstellung der Frauen entgegenstellen, und die Männer zu ermutigen, sich voll an allen Maßnahmen zur Herstellung von Gleichberechtigung zu beteiligen.«[176]

In ihrem Schlusssatz appellierte Helga Konrad dann an die Abgeordneten: »Ich bin im übrigen der Meinung, daß Männer endlich halbe-halbe machen sollten.«[177]

Es folgte Beifall von der SPÖ, der ÖVP, den Grünen und dem Liberalen Forum. Bemerkenswert finde ich die anschließenden Worte des Zweiten Nationalratspräsidenten Dr. Heinrich Neisser (ÖVP), der sich bei der Frauenministerin bedankte und – obwohl die ÖVP gegen eine gesetzliche Verankerung von halbe/halbe aufgetreten war – feststellte, dass am »Applaus der Männer« gesehen werden könne, dass Konrad offensichtlich für ihren »Schlußappell allgemeine Zustimmung finden«[178] werde.

Es kann wohl als unbestritten gelten, dass die knappe Laufzeit der öffentlichen Kampagne von etwa sechs Wochen ein zu kurzer Zeitraum war, um eine dauerhafte Bewusstseinsänderung zu erreichen, denn am Beispiel Schweden können wir sehr klar beobachten, dass es nur in einem jahrzehntelangen Prozess schaffbar ist, ein Anliegen wie das einer gemeinsamen Verantwortung für die Versorgungsarbeit zum gesellschaftlichen Mainstream zu machen. In Diskussionen um die Geschlechterrollen, d.h. in der Geschlechterrollendebatte, wurde dieser Prozess in Schweden bereits in den sechziger Jahren des 20. Jahrhunderts begonnen und zog einen Meinungsbildungsprozess in Parteien, Gewerkschaften und Interessengruppen nach sich. Dies mündete letztlich in gesetzliche Maßnahmen im schwedischen Wohlfahrtsstaat zugunsten einer Eltern- und Gleichstellungspolitik. Konkret bedeutete das beispielsweise den Anspruch auf Elterngeld, Elternurlaub und Arbeitszeitreduktion sowie auf ganztägige öffentliche Kinderbetreuung.[179]

6 Positionen der Parteien zur Medienkampagne halbe/halbe und zur Gesetzesinitiative

6.1 Programme, Positionen

6.1.1 SPÖ – programmatisch dafür

Die SPÖ deklarierte sich grundsätzlich für ein Gesetz zur partnerschaftlichen Teilung der Versorgungsarbeit. Schon in der Amtszeit von Frauenministerin Johanna Dohnal wurde auf Verlangen der SPÖ im Regierungsabkommen 1994 zwischen SPÖ und ÖVP eine entsprechende Weiterentwicklung des Familienrechts festgeschrieben.[180] Im Folgenden soll die Entwicklung der konkreten Forderungen innerhalb der SPÖ nachgezeichnet werden.
Beim 34. Ordentlichen Bundesparteitag der SPÖ 1995 in Wien wurde der Antrag Nr. 97 – »Partnerschaftliche Aufteilung der Haus- und Pflegearbeit im Familienrecht klarer regeln«[181] – vom Landesfrauenkomitee Steiermark eingebracht, dessen Vorsitzende Frauenministerin Helga Konrad war. Dieser Antrag wurde gleichlautend auch vom Bundesfrauenkomitee gestellt und beide vom Bundesparteitag angenommen. Die Begründung des Antrages lautete:

»Obwohl unser Ehe- und Familienrecht nach dem partnerschaftlichen Prinzip aufgebaut ist, enthält es nur ganz allgemein gefaßte und unpräzise Regelungen hinsichtlich der Mitwirkungspflicht beider Ehegatten an der Haushaltsführung. Dies führt dazu, daß die Hauptlast der Hausarbeit, der Erziehung und Pflege der Kinder sowie der Pflege älterer Familienangehöriger nach wie vor die Frau trifft, auch dann wenn sie selbst berufstätig ist. Die negativen Auswirkungen dieser Doppelbelastung auf die Gesundheit sowie auf das berufliche Fortkommen der Frauen sind hinlänglich bekannt. Appelle hinsichtlich der Bewußtseinsänderung von Ehemännern, ihren berufstätigen Frauen bei den Hausarbeiten zu helfen, haben bisher – wenn man von wenigen Ausnahmefällen absieht – keinen Erfolg gezeigt. Die Doppelbelastung der berufstätigen Frau könnte nur durch eine gerechtere Verteilung der Haus- und Pflegearbeiten in der Familie beseitigt oder zumindest gemindert werden. Daher sollte das Ehe- und Familienrecht eine genauere gesetzliche Aufteilung der Haus- und Pflegearbeiten in Zukunft regeln«.[182]

Die Forderung des Bundesparteitages lautete:
»Das Familienrecht soll dahingehend novelliert werden, daß die Haus- und Pflegearbeiten, die in der Familie anfallen, von den Ehepartnern partnerschaftlich geleistet werden müssen, wenn beide berufstätig sind. Im Ehegesetz sollte diese Überlegung entsprechende Berücksichtigung finden.«[183]

Um der Weiterentwicklung dieses Anliegens Nachdruck zu verleihen, wurde nach der Demissionierung von Helga Konrad als Frauenministerin Ende Jänner 1997 bei der SPÖ-Bundesfrauenkonferenz am 8. April 1997 in Linz abermals ein Antrag Nr. 24 »Partnerschaftliche Teilung der Versorgungsarbeit«[184] der SPÖ-Frauen Steiermark gestellt:
»Die Bundesfrauenkonferenz fordert daher, daß folgende gesetzliche Änderungen vorgenommen werden sollen: Im Allgemeinen Bürgerlichen Gesetzbuch soll der § 91 wie folgt geändert werden: Die Ehegatten sollen ihre eheliche Lebensgemeinschaft, besonders die Haushaltsführung, die Betreuungsarbeit und die Erwerbsarbeit, unter Rücksichtnahme aufeinander und auf das Wohl der Kinder einvernehmlich so gestalten, daß die daraus entstehenden Verpflichtungen gleichteilig getragen werden. Im Ehegesetz soll die nicht partnerschaftliche Aufteilung der Versorgungsarbeit im Sinn des § 91 ABGB als Eheverfehlung festgehalten werden, darüber hinaus soll Gewalttätigkeit in der Familie als schwere Eheverfehlung gelten.«[185]

In der folgenden Begründung dieses Antrages wurde verstärkt auf die partnerschaftliche Teilung der Versorgungsarbeit hingewiesen, die ohne gesetzliche Maßnahmen nicht herbeigeführt werden könne.
»Frauen haben aufgrund der hauptsächlich von ihnen getragenen Last der Versorgungsarbeit im Berufsleben erhebliche Start- und Wettbewerbsnachteile. Chancengleichheit im Berufsleben wird es daher erst dann geben,

wenn die Last der Versorgungsarbeit tatsächlich partnerschaftlich aufgeteilt ist. Wie wir wissen, brechen tradierte Strukturen nicht von selbst auf! Daher muß die partnerschaftliche Teilung der Versorgungsarbeit im Ehe- und Familienrecht als Grundprinzip definiert werden, denn ohne gesetzlichen Rückhalt werden Frauen bei ihren Männern wohl keinen großen Gesinnungswandel – wie die bisherige Erfahrung zeigt – bewirken!«[186]

Beim unmittelbar darauffolgenden 35. Ordentlichen Bundesparteitag der SPÖ vom Bundesfrauenkomitee wurde ein Antrag (Nr. 23) beschlossen, der den Titel »Selbst ist die Frau – Selbständig. Selbstbestimmt. Selbstbewußt« trug: »Gesetzliche Verankerung der partnerschaftlichen Aufteilung der Versorgungsarbeit«.[187] Dieser Antrag und seine Begründung stammen aus einem Leitantrag, der die Frauenpolitik umfassend behandelte. In diesem Zusammenhang wurde auf die Situation der Frauen in Bezug auf die Versorgungsarbeit und die steigende Erwerbsbeteiligung wie folgt eingegangen:

»Die sich verändernde gesellschaftliche Rolle der Frauen durch ihre steigende Erwerbsbeteiligung steht im krassen Widerspruch zur sich nur schleppend verändernden Rollenaufteilung in Haushalt und Familie. Eheschließung und/oder Geburt eines Kindes stellen auch für Frauen schon lange keinen selbstverständlichen Grund mehr dafür dar, den Beruf aufzugeben. Ein hoher und weiter wachsender Anteil der Frauen mit Kindern geht einer beruflichen Tätigkeit nach. Doch Versorgungsarbeit ist nach wie vor hauptsächlich Sache der Frauen, auch der berufstätigen. Aus den unterschiedlichen Zeitbudgets, die Männern und Frauen zur Verfügung stehen, leiten sich in der Folge häufig entscheidende Start- und Wettbewerbsnachteile von Frauen gegenüber ihren männlichen Kollegen im Berufsleben ab. Die Vereinbarkeit von Kind und Beruf ist auch heute noch ein Problem, mit welchem sich fast nur Frauen auseinandersetzen müssen.«[188]

Anhand dieser programmatischen Aussagen kann nachvollzogen werden, dass die SPÖ-Frauen innerhalb ihrer Partei der Motor für die partnerschaftliche Teilung der Versorgungsarbeit waren. Ein Unterschied zwischen dem inhaltlichen Antrag der SPÖ-Frauen Steiermarks (siehe Nr. 24) bei der SPÖ-Bundesfrauenkonferenz

1997 und jenem des Bundesfrauenkomitees (siehe Nr. 23) beim SPÖ-Bundesparteitages 1997 ist evident, nämlich, dass die SPÖ-Frauen Steiermarks unter ihrer Vorsitzenden Helga Konrad detaillierte gesetzliche Änderungen, das Bundesfrauenkomitee der SPÖ eine allgemeine gesetzliche Verankerung forderte.

6.1.2 ÖVP – Freiwilligkeit im Vordergrund

Im Grundsatzprogramm der ÖVP, beschlossen am 30. ordentlichen Parteitag der Österreichischen Volkspartei am 22. April 1995 in Wien, sind folgende Passagen für das Thema »Partnerschaftliche Teilung der Versorgungsarbeit« relevant:
Unter dem programmatischen Punkt 2, »Was wir wollen«[189], meint die ÖVP:

> »Wir wollen die Familie als Keimzelle der Gesellschaft besonders fördern. Wer für eine Familie und für Kinder Verantwortung übernimmt, dient der gesamten Gesellschaft und verdient deren Unterstützung. Aus der Übernahme von Familienpflichten dürfen Frauen und Männern keine Nachteile erwachsen.«[190]

Interessant ist hier die Stoßrichtung der Argumentation: Während die SPÖ für konkrete gesetzliche Maßnahmen zur partnerschaftlichen Teilung der Versorgungsarbeit eintrat, also sozusagen offensiv argumentierte, beschränkte sich die ÖVP auf eine defensive Formulierung, wonach aus der Übernahme von Familienpflichten keine Nachteile erwachsen dürften. Wie das konkret sichergestellt werden sollte, blieb in der Programmatik offen. Die in der tagespolitischen Auseinandersetzung beobachtbare Argumentation von ÖVP-RepräsentantInnen (siehe Kapitel 6.2.2) legt den Schluss nahe, dass dies auf freiwilliger Basis, aber keinesfalls unterstützt durch rechtliche Normen erfolgen solle. Hierin liegt also ein wesentlicher Unterschied zwischen den Positionen von ÖVP und SPÖ.

Im ÖVP-Grundsatzprogramm aus dem Jahr 1995 heißt es weiter:

»Wir treten für die Verwirklichung von Partnerschaft in allen Lebensbereichen, im zwischenmenschlichen Bereich, in Ehe und Familie, im Wirtschafts- und Arbeitsleben, in Politik und Staat und in der Völkergemeinschaft ein. Eine zentrale Verwirklichung von Partnerschaft erfolgt in der Ehe und in den Familien zwischen Eltern und ihren Kindern. Partnerschaft verlangt den Abbau unbegründeter Über- und Unterordnung, nichtgerechtfertigter Vorherrschaftsansprüche sowie von Ungleichheiten im Zugang zu Beruf und Lebensmöglichkeiten. Partnerschaft im persönlichen Bereich bedeutet, daß Frauen und Männer einander in ihrem Eigenwert anerkennen, füreinander verantwortlich sind und ihre Aufgaben innerhalb und außerhalb der Familie gleichberechtigt vereinbaren. Wir wollen Benachteiligungen der Frau in Familie, Arbeitswelt und Politik und in allen übrigen gesellschaftlichen Bereichen beseitigen.«[191]

Auch hier bleibt die ÖVP sehr allgemein und gibt nicht an, auf welche Weise sie die von ihr propagierten Zielsetzungen erreichen möchte. Benachteiligungen der Frauen werden konkret angesprochen, auch der Wunsch, diese Benachteiligungen zu beseitigen wird artikuliert. Unklar bleibt wie dies umgesetzt werden soll.
Das ÖVP-Grundsatzprogramm setzt fort:

»Unser erklärtes Ziel ist die gleichberechtigte Partnerschaft von Frauen und Männern in Familie, Berufs- und Arbeitswelt sowie in der Politik.
Kernpunkt eines neuen Gesellschaftsvertrags zwischen Frauen und Männern ist die Neubewertung der Erwerbsarbeit und die faire Neuverteilung unbezahlter Tätigkeiten in der Familie, im Haushalt, der Erziehung und Pflege. Weil Erwerbsarbeit für die Frauen wie für die Männer ein Teil umfassender Lebensentfaltung ist, sollen politische Rahmenbedingungen die Vereinbarkeit von Beruf und Familie für beide Geschlechter erleichtern.«[192]

Hier wird die ÖVP konkreter: Politische Rahmenbedingungen werden angesprochen, gar ein »Gesellschaftsvertrag zwischen Frauen und Männern«. Offenbar geht es also sehr wohl um mehr als reine Freiwilligkeit in der Bewältigung der Versorgungsarbeit.

Was das konkret bedeutet, auf welche Weise die angesprochenen Zielsetzungen verwirklicht werden sollen, bleibt aber auch hier offen. Immerhin ist aus dieser Passage abzuleiten, dass die ÖVP eine politische Gestaltungsaufgabe für den so genannten privaten Bereich anerkennt. Wie in Kapitel 6. 2. 2 gezeigt werden wird, hat sich die ÖVP im praktischen Anwendungsfall – nämlich einer gesetzlichen Regelung der partnerschaftlichen Teilung von Versorgungsarbeit – zunächst nicht bereit gefunden, eine solche Intervention des Politischen im privaten Bereich zu unterstützen. Erst im Jahr 1999 sollte, wie ebenfalls noch gezeigt werden wird, ein für die ÖVP akzeptabler Kompromiss erreicht werden.
In einer etwas konkreteren Form formulierte die Frauenbewegung der ÖVP neun vorrangige Frauenanliegen. Für unser Thema sind hier folgende Punkte relevant:

»Verbesserte Kinderbetreuung durch bedarfsgerechte Einrichtungen, vermehrtes Angebot von Tagesmüttern, Oma-/Opadienste und deren sozialrechtliche Absicherung und Erleichterung privater Initiativen. Auch müssen die Öffnungszeiten der Betreuungseinrichtungen flexibler werden. Neubewertung der Arbeit als weiterer Schritt zu gleichem Lohn für gleichwertige Arbeit. Gerechtere Bemessungsgrundlage für die Pensionsansprüche – geteilt zwischen Mann und Frau. Ergebnis davon wäre, daß in angemessener Form die Hausarbeit, Pflege- und Erziehungsarbeit anerkannt und bei der Berechnung der Pensionsansprüche berücksichtigt wird. Gleichstellung der Familienarbeit mit der Erwerbsarbeit, auch durch weitere Anhebung des Alleinverdienerabsetzbetrages. Die Stärkung der Familien ist ein Grundanliegen der ÖVP.«[193]

Diese Forderungen können einem traditionell bürgerlichen Familienbild zugeordnet werden. Die Aufgaben der Versorgungsarbeit sollen individuell gelöst werden. Der Staat soll die Frauen sozialpolitisch unterstützen – die Mitarbeit der Männer bei der Versorgungsarbeit ist nicht angesprochen. Diese Position entspricht der Strategie der Familialisierung, die davon ausgeht, alle Frauen als potentielle Ehefrauen und Mütter zu behandeln. Damit wird der männlichen Vorherrschaft im Sozialsystem Vorrang eingeräumt[194] und die aus dem ehelich-familialen Unterhalt resultierenden Ansprüche an das soziale Sicherheitssystem gerechtfertigt.[195] Wenn nun staatliche Reproduktionspolitik vorrangig Familienpolitik bedeutet, wird die Bindung der Frauen ans Haus gefestigt.[196]

In einer Gegenüberstellung der Positionen von SPÖ und ÖVP kann zusammenfassend festgehalten werden, dass die SPÖ das Ziel hatte, die partnerschaftliche Teilung der Versorgungsarbeit gesetzlich zu regeln und die Nichtbeteiligung an der Versorgungsarbeit ausdrücklich als Eheverfehlung zu qualifizieren. Diese Forderung der Frauenministerin und der SPÖ-Frauen wurde zwar in Beschlüssen der Gesamtpartei unterstützt, Männer in der Partei traten jedoch nur in Ausnahmefällen explizit und öffentlich dafür ein (siehe Kapitel 6.2.1).

Die ÖVP sprach sich in ihren programmatischen Positionen für politische Rahmenbedingungen aus, die eine faire Neuverteilung der Versorgungsarbeit auf die Geschlechter ermöglichen sollten. Es würde jedoch im Ermessen der Partner liegen, diese – zum Beispiel durch einen Ehevertrag – zu vereinbaren. Von einer gesetzlichen Regelung im Sinne einer Eheverfehlung war nicht die Rede. In der politischen Auseinandersetzung argumentierten VertreterInnen der ÖVP lange gegen eine gesetzliche »Einmischung« des Staates in die Privatsphäre. Es wird an anderer Stelle noch gezeigt werden, dass die ÖVP letztlich einer gesetzlichen Regelung doch zustimmte.

6.2 Politische Auseinandersetzung der Parteien zur Gesetzesinitiative

6.2.1 SPÖ – Skepsis der Männer

In den auf Parteitagen formulierten Positionen der SPÖ wird die Zielsetzung der Gleichberechtigung der Geschlechter im Allgemeinen und in der Teilung der Versorgungsarbeit im Besonderen sichtbar. In der politischen Auseinandersetzung zeigte sich jedoch, dass Männer in der Partei der konkreten Forderung nach halbe/halbe skeptisch bis ablehnend gegenüberstanden. Helga Konrad bemerkte im Interview mit »News«, dass die Männer in der SPÖ in dieser für Frauen so wichtigen Frage leider auch nicht besser als viele andere seien und sie werde die Gesetzesänderung zu einem wichtigen Thema am SPÖ-Parteitag machen.[197] »Es steht für die SPÖ-Männer dann ihre Reputation als Sozialdemokraten auf dem Spiel. Denn es gibt keine Demokratie ohne Gleichberechtigung der Frauen.«[198]
Bemerkenswert ist, dass aus den Stenographischen Protokollen des Nationalrates und Bundesrates kaum Wortmeldungen von Männern aus der SPÖ zur partnerschaftlichen Teilung der Versorgungsarbeit hervorgehen. Wenn sich männliche Abgeordnete zu Wort gemeldet haben, geschah dies – wie noch gezeigt werden wird – in Form von Zwischenrufen.
Es gibt Hinweise darauf, dass Politiker der SPÖ und der ÖVP eine gewisse Übereinstimmung in der Distanz zum Anliegen der Frauenministerin aufwiesen. In einem Streitgespräch in der Zeitschrift »News« vom 24.8.1995 zwischen Ex-Frauenministerin Johanna Dohnal und dem damaligen ÖVP-Klubobmann Dr. Andreas Khol kann dies nachvollzogen werden.

Andreas Khol: »Also wenn in meiner Partei zwei prominente Politiker wie der Herr Fischer und der Herr Kostelka gegen einen Vorschlag einer Frauenministerin so auftreten würden, würde es heißen, Führungskrise, Chaos, Schluß mit der sinnlosen Diskussion.«[199] Johanna Dohnal etwas später zum Gesetzesvorhaben ihrer Nachfolgerin Konrad: »Frauen wird bei Scheidungsverfahren sehr wohl vorgeworfen, daß sie Mann und Kinder vernachlässigt hat [sic!]. Das soll auch vice versa gelten.« Khol: »Die Interpretation durch die Gerichte ist meines Erachtens ausreichend, um die gesellschaftliche Entwicklung zu gestalten. Ich glaube, daß der Weg, den Frau Minister Konrad hier vorschlägt, dem Anliegen schadet. Ich stimme da Kostelka und Fischer zu ...« Dohnal: »Das denke ich mir!« Khol: »Ja, hin und wieder gibt es eine Allianz der Vernünftigen.« Dohnal: »Das ist bestenfalls eine Allianz der Machos. Das haben wir doch extra reingeschrieben ins Koalitionsabkommen, verdammt noch einmal! Ich bin da gesessen die ganzen Tage und Nächte. Ich weiß, wer aller dagegen war. Die ganzen Herren meiner Partei. Ich habe auch mit Freunden manche Hähnchen und Hühnchen zu rupfen.«

In der Plenarsitzung des Nationalrates ging Frauenministerin Helga Konrad auf die gesetzlichen Vorhaben ihres Ressorts ein und bekräftigte ihre Position: »Gerade die Tatsache, daß Frauen allein für die Versorgungsarbeit zuständig sind, hat zur Konsequenz, daß Frauen als sogenannte unsichere Arbeitskräfte gelten.«[200] Deshalb würden sie Teilzeitarbeit oder prekäre Arbeitsverhältnisse in Anspruch nehmen, weil sie eben »alles unter einen Hut bringen müssen«. Helga Konrad forderte eine Gesellschaft zu schaffen, »die in der Lage ist, die Lasten der Versorgungsarbeit auch zu teilen«. Sie pochte daher auf eine Änderung im Familienrecht: »Wir wissen (...), daß das partnerschaftliche Prinzip in diesen Gesetzen nur halbherzig verankert ist.« Die Gesetze würden nicht ausreichen, den Frauen wirklich Gleichberechtigung zu garantieren. Die Frauenministerin brachte es auf den Punkt: »Alles was wir wollen ist, daß eben das partnerschaftliche Prinzip in diesen Gesetzen deutlicher festgeschrieben wird (...) und daß die Versorgungsarbeit nicht nur Hausarbeit ist, sondern auch die Erziehung der Kinder und auch die Pflege alter und kranker Angehöriger ist.« Der Frauenministerin ging es vor allem auch darum, dass die Debatte um die partnerschaftliche Teilung der Versorgungsarbeit »ernsthaft« geführt wird. »Denn eine Zeitlang ist das als lächerlich abgetan worden, und ich erlebe nach wie vor, daß darüber gewitzelt und gelächelt wird.« Sie brachte auch ihre Erfahrung der Weltfrauenkonferenz in Peking (1995) ein und meinte, dass dort »überhaupt niemand gelächelt« habe, und die Frage der »Umverteilung der bezahlten und unbezahlten Arbeit ist eine ganz wichtige Passage auch im Schlußdokument«.

Nach der Rede der Frauenministerin hat sich Abg. Anton Leikam von der SPÖ zu Wort gemeldet und seine Ausführungen damit begonnen: »Ich wende mich nun von der Frauenpolitik ab (Abg. Schaffenrath: Da sind wir überrascht!) und einem anderen Thema zu. (Abg. Ing. Meischberger: Leikam, verstehst du nichts von Frauen?) Doch, doch (Abg. Ing. Meischberger: Verstehst du nichts von Frauen?).«[201]

Diese Passage zeigt wohl exemplarisch, dass das Thema Frauenpolitik die Männer nicht wirklich interessiert und die »Diskussion« tendenziell sogleich eine sexistische Richtung einschlägt.

Als eine Ausnahme kann Bundesrat Dr. Albrecht Konecny bezeichnet werden, der sich bei einer dringlichen Anfrage der FPÖ an die Frauenministerin als Verteidiger in Sachen Frauenanliegen qualifizierte. Konecny stellte fest, dass »bei grundlegenden gesellschaftlichen Fragen«[202] die Politik gefordert ist, in der Gesellschaft Einfluss auszuüben und Bewusstsein zu bilden. Er behaupte auch nicht, dass »jeder Sozialdemokrat« der »größtdenkbare Vorkämpfer der Gleichberechtigung der Frauen« sei. Wichtig sei ihm aber, dass die Gegensätze von Ungleichbehandlung zwischen Frauen und Männern in den gesellschaftlichen Diskurs hineingehören sowie auch das »Aufzeigen von Rahmenbedingungen«. Konecny bezog sich auf die historisch gewachsene Arbeitsteilung, die in der heutigen Zeit, in der beide arbeiten gehen, nicht mehr haltbar sei. Es könne nicht sein, dass »die (weiblich) eine arbeiten geht und dann zu 80 Prozent – außer Mistaustragen, wie die Statistik zeigt – den Haushalt erledigt und der (männlich) andere nur arbeiten geht«. Er resümierte: »Die Hausarbeit ist tatsächlich an den Frauen hängen geblieben, und der soziale und gesellschaftliche Wandel hat hier nicht adäquat Berücksichtigung gefunden.« Er unterstützte die Frauenministerin in ihrem Anliegen durch »Gesetzesbestimmungen, durch öffentliche Auftritte, durch Information, durch eine bewußt losgetretene Diskussion deutlich zu machen, was in dieser Gesellschaft möglich und sinnvoll und erwünscht ist«.

Frauenministerin Helga Konrad stellte am Ende der Diskussion in dieser Bundesratssitzung fest, dass die Debatte nicht stattgefunden hätte, »wenn es nicht die Bewußtseinskampagne ›Ganze Männer machen halbe/halbe‹« gegeben hätte. Es sei auch im Sinne der Zufriedenheit und des Bestandes einer Ehe, wenn die Versorgungsarbeit umverteilt wird. Zu den Beiträgen jener Bundesratsabgeordneten, die gegen eine Einmischung ins Private aufgetreten waren, meinte die Frauenministerin: »Schauen Sie doch bitte genau hin und geben Sie doch zu, dass dieses Private eminent öffentliche Auswirkungen hat. Das Private ist nur scheinbar privat, und für Frauen hat es sehr nachteilige Auswirkungen für ihr ganzes Leben, bis hin ins Alter.«

6.2.2 ÖVP – Haushalt per Gesetz regeln: nein danke!

Das traditionelle und konservative Familienbild der ÖVP wird in den Programmatischen Positionen sichtbar (siehe Kapitel 6.1.2), ebenso aber im politischen Alltag. In einem Interview mit der Zeitschrift »Profil« vom 11. März 1996 betonte Klubobmann Andreas Khol, dass er es für eine »schreiende Ungerechtigkeit am Kind«[203] halte, wenn Kinder in Kinderkrippen und Horte abgegeben würden. »Es ist ungerecht gegenüber den Kindern, sie wie die Milchkannen abzugeben.«[204] Und auf die Frage nach der Kinderversorgung in seiner eigenen Familie antwortete Andreas Khol:

> »Daheim – meine Frau ist erst wieder unterrichten gegangen, als der Jüngste in die Schule kam – hatten wir immer eine partnerschaftliche Arbeitsteilung. Das Hausmanagement macht heute zu 100 Prozent meine Frau, weil ich sehr oft nicht zu Hause bin. Aber wir frühstücken gemeinsam, die Sonntage sind mir auch heilig.«[205]

Das Ziel von Frauenministerin Helga Konrad, die partnerschaftliche Teilung der Versorgungsarbeit gesetzlich zu regeln, stieß bei der ÖVP auf heftigen Widerstand. In den nachfolgenden Zitaten kommt diese Position klar zum Ausdruck.

Wie bereits in Kapitel 6.2.1 erwähnt, wurden Ex-Frauenministerin Johanna Dohnal und der damalige ÖVP-Klubobmann Andreas Khol von der Zeitschrift »News« zu einem Streitgespräch geladen. Andreas Khol kam mit Schürze und Heimwerker-Set zum Gespräch. Er beteuerte, dass er »ein Anhänger einer partnerschaftlichen Familie«[206] sei. Seine Frau würde lieber bügeln und er dafür Unkraut jäten. »Für einen blühenden Unsinn und für einen absurden Regelungswahn«[207] halte er es, »wenn man in einer Ehe den Haushalt per Gesetz regeln muß«.[208]

In dieselbe Kerbe schlug die ÖVP-Vizechefin Elisabeth Zanon aus Tirol, die in der Tageszeitung »Die Presse« vom 14.6.1995 zitiert wird: »Partnerschaftliches Leben kann man nicht gesetzlich verordnen. Wenn man Mithilfe im Haushalt gesetzlich regelt, würde es nur noch mehr Scheidungen geben als bisher.«[209]

Der damalige Familienminister Martin Bartenstein formulierte im März 1996 in der ORF-Fernsehpressestunde: Für ein Gesetz, durch das Männer im Haushalt mithelfen sollen, »besteht kein Handlungsbedarf«.[210]

Zwei Monate später, am 12.5.1996 in der »Wiener Zeitung« (aus Anlass des Muttertages), rief der Familienminister zwar dazu auf, »die Familienarbeit fairer zu verteilen« und dass sich auch die Männer »mehr als bisher für die Familie einsetzen«[211] sollten, dies sollte aber offenkundig auf freiwilliger Basis geschehen.

In einem Interview der Zeitschrift »News« vom 11.4.1996 mit ÖVP-Generalsekretärin Maria Rauch-Kallat unternahm diese einen Vorstoß betreffend Aufteilung der Hausarbeit. Sie wünsche sich einen Ehevertrag, der Angelegenheiten angefangen »von Grund und Boden bis zur Beteiligung an der Hausarbeit«[212] regle. Diese Idee stamme schon aus ihrer Zeit als Familienministerin und beinhalte, dass sich junge Menschen mehr über die Rechte und Pflichten einer Ehe informieren. »Die Eheinformation könnte von Standesbeamten gemacht werden oder, besser, in Familienberatungsstellen, wo es Juristen gibt. Der Vertrag *kann* sein, er muß aber nicht sein.«[213] Auf die Frage von »News«, warum Rauch-Kallat das Bemühen von Frauenministerin Konrad, die partnerschaftliche Teilung der Versorgungsarbeit im Ehe- und Familienrecht festzulegen, ablehne, äußerte sich die ÖVP-Generalsekretärin so: »Ich bin strikt gegen die gesetzliche Verankerung des Geschirrabwaschens, ich bin dagegen, alles gesetzlich zu regeln. Die ÖVP wird sicher keiner gesetzlichen Verankerung der Hausarbeit zustimmen. Danach haben wir keine Sehnsucht.«[214]

Abgeordnete Rosemarie Bauer nahm in ihrer Rede im Parlament am 23.4.1996 im Zuge der Budgetdebatte zu Frauenangelegenheiten Stellung. Sie sprach von Doppel- und Dreifachbelastung der Frauen und dass sich diese Situation trotz Appellen nicht geändert habe, dies würde anhand der Zeitökonomie-Studie von Familienministerin Sonja Moser auch bestätigt. Vielleicht würden die Lösungsvorschläge von Bundesministerin Helga Konrad etwas fruchten, wenn es darum gehe »einen Passus in der Verfassung zu ändern und die partnerschaftliche Aufteilung der Hausarbeit einzuführen«.[215] Rosemarie Bauer glaubt aber persönlich eher, dass »man verschiedene Ansätze finden muß« und appellierte an die Frauen im Parlament: »Wir müssen unsere Söhne einfach partnerschaftlicher erziehen! (Beifall bei der ÖVP).« Und »vielleicht liegt es bei manchen Kindern einfach nicht im Blut, sich im Haushalt mitzubeteiligen«. Zwar meine Bauer, dass dies nicht eine Frage »der Erbmasse« sei, sondern dass »neben der Erziehung das Vorbild eine der größten Rollen spielt, das Vorbild, das einfach inhaliert wird durch die Wirkung der männlichen Familienmitglieder, der Väter, der Onkel und dergleichen mehr«.

Die ÖVP-Bundesrätin Therese Lukasser aus Tirol nahm in der Sitzung vom 16.1.1997 – es ging um eine dringliche Anfrage der FPÖ an die Frauenministerin – vehement gegen die Kampagne halbe/halbe Stellung. Mit Blick auf den entsprechenden Werbespot meinte Lukasser, es sei »fast unerträglich, dauernd zu hören, wer aller es tut.«[216] Sie forderte die Frauenministerin auf, diesen Werbespot sofort abzusetzen. Ein zweites Argument gegen die partnerschaftliche Aufteilung der Versorgungsarbeit brachte sie aus ihrer eigenen Lebenssituation vor, denn die Frauenministerin habe, so Bundesrätin Lukasser pointiert, mit ihrem

»Engagement unter den Männern zumindest einen Fan gewonnen, nämlich meinen Mann. Er ist von der halbe/halbe-Forderung begeistert. Er meint, dann müsse er wenigstens nur mehr 50 Prozent der Hausarbeit machen (Allgemeine Heiterkeit. – Beifall bei der ÖVP)«.

Bundesrat Gottfried Jaud (ÖVP) aus Tirol legte seine persönlichen Erfahrungen dar, indem er »selbst in einem patriarchalischen Haushalt aufgewachsen«, nun den Gegensatz lebe: »Ich mache meine täglichen Einkäufe, koche an den Wochenenden und helfe auch sonst im Haushalt mit. Auch Backen gehört bei mir dazu. Das mache ich, bitte schön. Nur: Das mache ich freiwillig (Beifall und Bravoruf bei der ÖVP).«

Mit diesem Argument spricht sich der Bundesrat gegen eine »gesetzliche Regelung« und »ein Eingreifen in die Familienautonomie von Gesetzes wegen« aus. Dies wäre »sehr schwierig, ja teilweise vielleicht sogar unverantwortlich und sehr bedenklich«, denn das führe zu Streit und zum Auseinandergehen der Paare. Bundesrat Jaud sprach sich in Anlehnung an Abg. Rosemarie Bauer für eine Erziehung junger Männer durch die Mütter aus. Offensichtlich für seine dargestellte Mitwirkung an der Hausarbeit erhielt Bundesrat Jaud nach seiner Rede von Bundesrätin Kainz (SPÖ) ein »T-Shirt mit dem entsprechendem Werbeaufdruck«.[217]

Diese Positionen von ÖVP-PolitikerInnen stellten die Trennung von öffentlich und privat in den Vordergrund, demgemäß wurde die gesetzliche Verankerung der Teilung der Versorgungsarbeit abgelehnt. Dies trifft auch auf den Vorschlag Maria Rauch-Kallats zu, das Instrument des Ehevertrages zur Regelung der Versorgungsarbeit zu nützen. Diesem Verständnis zufolge bleibt es dem Einverständnis der Ehepartner überlassen, eine entsprechende Teilung der Belastung vorzusehen oder eben nicht. Eine gesetzliche Verpflichtung lehnte auch Rauch-Kallat ab.

Nach dem Rücktritt von Helga Konrad als Frauenministerin erklärte Rauch-Kallat zwar, sie habe nichts gegen die Fernseh- und Radio-Kampagne halbe/halbe einzuwenden, sie finde diese »gar nicht so schlecht«[218] und »wichtig für den bewußtseinsbildenden

Faktor«.[219] Aber »wir wehren uns gegen die gesetzliche Verankerung über das bestehende Maß hinaus«.[220] Rauch-Kallat betonte, dass die Teilung der Hausarbeit im bestehenden Eherecht ja schon vorgeschrieben sei und dass der Staat sich in die Organisation des Privatlebens nicht einzumischen habe.[221]

6.2.3 Liberales Forum – keine »Überreglementierung«

Abgeordnete Maria Schaffenrath (LIF) ging in der parlamentarischen Budgetdebatte zu Frauenangelegenheiten auf die Wortmeldung von Rosemarie Bauer von der ÖVP und von Edith Haller von der FPÖ ein. Der Appell von Abg. Bauer, »unsere Söhne doch partnerschaftlich zu erziehen«[222], bedeute nämlich, dass Bauer die Erziehungsarbeit ausschließlich den Frauen überantworte. Dass »Sie (Kollegin Haller) diesen Ansatz auch noch unterstützen, ist letztendlich bezeichnend für die Frauenpolitik der FPÖ«. Bei der Behandlung von Frauenfragen durch die Regierung »zeigt sich leider sehr deutlich die Handschrift einer neukonservativen ÖVP, vertreten durch ihren Klubobmann Dr. Khol, und deswegen kam es in der Regierungserklärung nicht einmal mehr zu Absichtserklärungen in dieser Frage«. Schaffenrath appellierte an die Frauenministerin, dass die »verbal zugesicherte verfassungsrechtliche Gleichstellung der Frauen auch in die politische Realität« umgesetzt werden möge. Schaffenrath ging dann auf die Verbesserung der Durchsetzbarkeit von Unterhaltsansprüchen ein und machte in Richtung der Frauenministerin deutlich, dass weder »Überreglementierung« noch »gesetzliche Festlegung der partnerschaftlichen Teilung der Hausarbeit als Scheidungsgrund, die verpflichtende Vertragsregelung à la Rauch-Kallat, noch verpflichtende Belehrung durch Standesbeamte à la Bartenstein« Lösungen seien. Schaffenrath weiter: »Es kann nicht Aufgabe des Staates sein, Eheverfehlungen im Rahmen der Verschuldungsfrage als Scheidungsgrund festzustellen.«
Die Position Schaffenraths erscheint nicht konsistent. Einerseits unterstütze sie das Vorhaben für eine verfassungsmäßige Veranke-

rung der Gleichstellung, andererseits solle aber der Staat keinen Einfluss auf die Nichtbeteiligung an der Hausarbeit nehmen, also diesen Tatbestand nicht als Eheverfehlung feststellen müssen. Damit unterscheidet sich das Liberale Forum nicht wesentlich von der ÖVP.[223]

6.2.4 Die Grünen – Unterstützung für halbe/halbe

Abg. Maga. Doris Kammerlander bezog sich in ihrer Wortmeldung in der parlamentarischen Budgetdebatte zu Frauenangelegenheiten auf die Aussagen von Abg. Rosemarie Bauer zur partnerschaftlichen Erziehung der Söhne und ergänzte, dass der Sozialisation in Familie, Kindergärten und Schulen »mindestens so viel Augenmerk«[224] zu schenken ist wie dem »Anteil der Mutter an der Erziehung ihrer Söhne«.[225] Kammerlander meinte in Richtung ÖVP, dass die Vorbildfunktion des ÖVP-Klubobmannes Khol für die Aussage von Rosemarie Bauer bestimmend gewesen sei,

»denn wenn jemand wie er der Meinung ist, daß sich die Familienangelegenheiten und Erziehungsarbeit beim Sonntagsfrühstück regeln lassen und daß man die Erziehungsarbeit und die Aufsicht der Enkelkinder auch der Großmutter überlassen kann, dann ist es leicht möglich, daß solche Beurteilungen zustande kommen (Beifall bei den Grünen. Abg. Dr. Khol: Sie haben wahrscheinlich gar keine Familie und reden wie die Blinde von der Farbe!)«.[226]

Kammerlander bezog sich dabei auf ein Interview in der Zeitschrift »Profil« Nr. 11 vom 11.3.1996 mit Andreas Khol siehe Kapitel 6.2.2.

Die Grünen haben sich in der Frage der verfassungsmäßigen Verankerung der Gleichstellung auf die Seite der Frauenministerin gestellt. In Bezug auf die partnerschaftliche Teilung der Versorgungsarbeit hat sich die Vertreterin der Grünen, Abg. Terezija Stoisits, in der Arbeitsgruppe des Justizministeriums unterstützend zum Vorhaben der Frauenministerin geäußert (siehe Kapitel 5.1).

6.2.5 FPÖ – »Bitte nicht per Gesetz«

Zum Vorschlag von ÖVP-Generalsekretärin Rauch-Kallat, Eheverträge abzuschließen, reagierte die freiheitliche Familiensprecherin Edith Haller in der »NFZ« (Neue Freiheitliche Zeitung) ablehnend: »Rauch-Kallat ist in die Falle des Sozialismus getappt« und »die Politik soll und muß sich aus dem höchstpersönlichen Lebensbereich der Menschen heraushalten. Es ist gegen den gesunden Menschenverstand, daß Ehepartner erst klären müssen, wer wieviel bügelt und wer für den Abwasch zuständig sein soll«.[227]
Diese Position zielt ganz klar auf die Trennung des privaten vom öffentlichen Bereich ab. Eine solche Haltung nahm auch der aus Oberösterreich stammende Bundesrat Dr. Michael Rockenschaub in der Bundesratssitzung vom 16.1.1997 ein, als die FPÖ eine dringliche Anfrage an die Frauenministerin stellte. Rockenschaub hielt eine Regelung im Gesetz über Aufteilung der Hausarbeit für »äußerst fragwürdig«[228] und bezeichnete dies als »Regelungswut«. Er meinte lapidar: »Entweder eine Partnerschaft funktioniert, dann brauchen wir solche Gesetze nicht …« Beim Nichtfunktionieren einer Partnerschaft könne noch so viel über Haushaltsarbeit in ein Gesetz geschrieben werden, diese wird »nicht zu retten sein«. Regulierungsversuchen im Privatleben, so Rockenschaub, »stehen gerade wir Freiheitlichen besonders kritisch gegenüber«. Bundesrätin Helga Moser aus Oberösterreich meinte in derselben Sitzung des Bundesrates, es möge »bitte nicht per Gesetz« vorgeschrieben werden »wie sich ein Paar die Arbeit aufteilt«.

In der Argumentation zugunsten einer Trennung des Privaten vom Öffentlichen, im Auftreten gegen staatliche Regelungen zur partnerschaftlichen Teilung der Versorgungsarbeit trafen sich also – wenn auch nicht immer in der konkreten Diktion, aber doch in der Substanz – ÖVP, Liberales Forum und FPÖ.

Ein Spezifikum in der Argumentation von FPÖ-Repräsentantinnen liegt darin, dass sie in zum Teil emotionaler Weise die Kampagne halbe/halbe in Gegensatz zu den Interessen der Bevölkerung im Allgemeinen, aber auch der Frauen im Besonderen stellen. Die

Frauensprecherin der Vorarlberger Freiheitlichen, Landtagsabgeordnete Hildtraud Wieser, bezeichnete die Werbeaktion »Ganze Männer machen Halbe-Halbe« als »höchst überflüssig«.[229] Diese erwecke »den Eindruck, daß noch schnell vor Jahresende vorhandene Budgetmittel ausgegeben wurden«.[230]
Abgeordnete Edith Haller kritisierte in der parlamentarischen Budgetdebatte zu Frauenangelegenheiten, dass »das Hauptaugenmerk (...) bei der Einführung der verpflichtenden Hausarbeit für Männer [liegt, Anm. d. Verfasserin], wohl um von den realen wirtschaftlichen Problemen der österreichischen Frauen abzulenken«.[231] Haller bezeichnete dies als »unverantwortliche Randgruppenpolitik«.[232]
Bundesrätin Drin. Susanne Riess-Passer reagierte in der Bundesratssitzung vom 16.1.1997 auf die Rede von Hedda Kainz (SPÖ), in welcher diese die Kampagne erwähnt hatte, mit einem Zwischenruf so: »Dann verplempern Sie nicht Millionen für irgendeinen Unsinn!«[233] Zu den Ausführungen der SPÖ-Bundesrätin Johanna Schicker, die sich für eine Bewussteinsbildung in der Bevölkerung zum Thema halbe/halbe aussprach, reagierte Bundesrätin Susanne Riess-Passer wiederum mittels eines Zwischenrufes: »Glauben Sie, die lassen sich durch einen Kinospot überzeugen? Das ist doch nicht Ihr Ernst!«[234]
Politikerinnen der FPÖ wandten sich also scharf gegen Fraueninteressen und sind damit ein eindrucksvolles Beispiel für die Internalisierung des Patriarchats durch Frauen, was wesentlich zur Stabilisierung der Benachteiligung von Frauen beiträgt.[235]
In diesem Zusammenhang vertraten FPÖ-Repräsentantinnen auch die Position des Familialismus, etwa wenn die Vorarlberger Landtagsabgeordnete Hildtraud Wieser »die Einsparung des Frauenministeriums«[236] fordert, denn in Zeiten von Sparpaketen müsse überflüssiger Ballast abgeworfen werden. Die Agenden von Familien- und Frauenministerium mögen zusammengelegt werden.[237]
Bundesrätin Monika Mühlwerth aus Wien monierte, dass es in der Diskussion hauptsächlich um Frauen geht, die berufstätig sind. »Die Hausfrauen kommen eigentlich gar nicht wirklich vor.«[238]

7 Die Gesetzesänderung – ein Kompromiss

7.1 Positionen der Frauenministerin

Zu Beginn der Amtszeit von Barbara Prammer war das Medieninteresse an der neuen Frauenministerin und ihrer inhaltlichen Positionierung zu den gesetzlichen Vorschlägen ihrer Amtsvorgängerin sehr groß.
In einem Interview mit den »Salzburger Nachrichten« vom 5.2.1997 antwortete Barbara Prammer auf den Hinweis, dass der Bundeskanzler auch gegen das »halbe/halbe-Gesetz« ihrer Vorgängerin sei, weil damit in die Wohnung hineinspioniert würde: »Ich eigentlich auch«.
Das klingt nach Distanzierung von der Gesetzesinitiative ihrer Vorgängerin. Doch gleich im folgenden Satz relativierte Barbara Prammer dies wieder:
»Aber mir gibt schon zu denken, dass sich noch niemand die Mühe gemacht hat, ins geltende Eherecht zu schauen. Der Staat schaut doch heute schon unter die Bettdecke. Das ist Faktum. Ich stehe einer Diskussion darüber, wie weit sich der Staat ins Privatleben einmischen darf, offen gegenüber – aber bitte generell.«
Barbara Prammer nannte in diesem Interview auch die Schwerpunkte ihrer neuen Aufgabe, wie jene die Berufstätigkeit der Frauen zu fördern und »da gehört die Vereinbarkeit von Beruf und Familie und damit halt auch die Aufteilung der Hausarbeit dazu«. Einerseits ließ Barbara Prammer also Distanz zum Projekt von Helga Konrad erkennen und widersprach der von den »Salzburger Nachrichten« zitierten Äußerung des Bundeskanzlers nicht, um dann aber auf die Notwendigkeit der »Aufteilung der Hausarbeit« zu verweisen, was genau das Anliegen von Helga Konrad war. Offenkundig war Barbara Prammer um einen Akt der Balance bemüht, die Linie des Regierungschefs nicht zu konterkarieren und zugleich die Frauenanliegen weiterhin zu vertreten.

Die Tageszeitung »Der Standard« informierte am 6.2.1997, dass Frauenministerin Barbara Prammer keine Weiterführung der Werbekampagne halbe/halbe plane, die TV-Spots wären ohnehin im Ende Jänner ausgelaufen und eine Neuauflage der Fernsehwerbung würde es nicht geben. Die Aktion werde auf die »politische Ebene« gehoben. Als Kritik an ihrer Vorgängerin Helga Konrad wollte Barbara Prammer das allerdings nicht verstanden wissen.

Barbara Prammer brachte zum Ausdruck, dass ihr die partnerschaftliche Teilung der Hausarbeit kein vordringliches Anliegen sei, denn, so Prammer in einem Interview mit der Tageszeitung »Kurier« am 6.2.1997: »So gut die Kampagne gedient hat, Diskussionen in Gang zu bringen, sie darf nicht den Blick für das versperren, was viel mehr unter den Nägeln brennt«, und das sei die Frauenarbeitslosigkeit. Die Notwendigkeit einer Verankerung der Hausarbeit im Scheidungsrecht wollte Barbara Prammer durch eine Analyse der richterlichen Spruchpraxis untersuchen.

Erkennbar ist hier ein Wechsel im politischen Themenschwerpunkt. Das heikle Thema halbe/halbe und damit einhergehend die Konflikte mit der ÖVP treten in den Hintergrund, die Verbesserung der Situation der Frauen auf dem Arbeitsmarkt in den Vordergrund. Das könnte als Versuch interpretiert werden, ein emotionalisiertes Thema abzukühlen, ohne gleichzeitig damit zu signalisieren, dass Frauenanliegen nunmehr weniger wichtig wären.

Im Unterschied dazu ließ Barbara Prammer in der SPÖ-Frauenzeitschrift »Frau & Politik« – wohl auch im Hinblick auf die Zielgruppe dieser Publikation – deutlich mehr Kontinuität zu den Anliegen Helga Konrads erkennen:

»Ein wichtiger Teil ist (...) die Vereinbarkeit von Beruf und Kindern, wo (...) natürlich die gerechte Aufteilung der Versorgungsarbeit ein zentraler Punkt ist. Denn Frauen werden immer die Benachteiligten und ein Risikofaktor für die Wirtschaft sein, wenn sie neben ihrer Berufstätigkeit auch die Versorgungsarbeit hundertprozentig erfüllen müssen. Ich möchte außerdem versuchen, eine gewisse Dialogbereitschaft auch mit der Wirtschaft aufzubauen.«[240]

Zur Forderung nach gesetzlicher Verankerung der partnerschaftlichen Teilung der Versorgungsarbeit erläuterte Barbara Prammer, dass dies ein Thema sei, das sehr widersprüchlich diskutiert werde, vor allem Männer würden dem wahrscheinlich auch aus Bequemlichkeit nicht sehr viel abgewinnen können. Die gerechte Aufteilung der Versorgungsarbeit sei für sie zentral, sei ihr Fehlen doch der wesentliche Grund für die Benachteiligung von Frauen in der Berufswelt. Barbara Prammers Botschaft lautete, »Frauen in der Vereinbarkeit von Beruf und Familie zu unterstützen – und dazu brauchen sie auch die Unterstützung der Partner«.[241]

Die gesetzliche Verankerung der partnerschaftlichen Teilung sah Barbara Prammer als unverzichtbar an, denn es komme selten zu einem Richterspruch in einem Scheidungsverfahren, der – abgeleitet von der Nichtaufteilung der Hausarbeit – zugunsten der Frau ausgehen würde. Barbara Prammer sah sich nach eigenen Angaben mit der Tatsache konfrontiert, dass der Koalitionspartner über dieses Thema nicht verhandlungswillig sei. Um wieder eine Verhandlungsbasis zustande zu bringen, habe sie sich entschlossen, zunächst eine Qualitativstudie zur Spruchpraxis der Gerichte im Zusammenhang mit der Rolle in Auftrag zu geben, die die Verteilung der Hausarbeit bei Scheidungsverfahren spiele oder eben nicht spiele.[242]
Hier – also der vertrauten Zielgruppe von SPÖ-Frauen und ihr nahestehender Frauen gegenüber – sagte Barbara Prammer offen, dass sie an der gesetzlichen Regelung der partnerschaftlichen Versorgungsarbeit festhalten wolle. Offenkundig war sie bestrebt, durch das Herausnehmen von Emotion und Zeitdruck einen neuen Anlauf zustande zu bringen und die ÖVP ins Boot zu bekommen.
Barbara Prammer stellte auch in der Zeitschrift »News« 7/97 klar, dass sie am Ziel einer Gesetzesänderung festhalte.[243] Sie wolle das Selbstbestimmungsrecht der Frauen mit einer klaren Formulierung im § 91 ABGB sicherstellen: »Die Ehegatten sollten ihre eheliche Lebensgemeinschaft, besonders die Haushaltsführung und die Erwerbstätigkeit, unter Rücksichtnahme aufeinander, ›auf ihre

Leistungsfähigkeit‹ und auf das Wohl der Kinder, ›mit dem Ziel voller Ausgewogenheit‹ einvernehmlich gestalten.« Barbara Prammer weiter: »Zwei Paragraphen sollen präzisiert werden. Nie war davon die Rede, dass die Polizei kommt. Und: Diese Gesetzesänderung kostet nichts.« Barbara Prammer wollte auch den Koalitionspartner ÖVP überzeugen, indem sie beabsichtigte, mittels einer Untersuchung über die Rechtssprechung Fakten für die Verhandlungen aufzubereiten. Denn zurzeit spreche der Koalitionspartner nicht mit ihr darüber und lehne auch eine Zustimmung zu einer Gesetzesänderung kategorisch ab.

7.2 Der Diskussionsprozess in den Arbeitsgruppen der ExpertInnen

Nach dem Ressortwechsel im Frauenministerium von Helga Konrad zu Barbara Prammer tagten die in Kapitel 5.2 erwähnten Arbeitsgruppen im Rahmen des Justizressorts[244] im Februar 1997 weiter. In unserem Fall ist die Unterarbeitsgruppe »Ehewirkungen«[245] von Interesse, da es dort inhaltlich um das Anliegen ging, die partnerschaftliche Teilung der Versorgungsarbeit in das Gesetz zu integrieren. Aufgrund des Protokolls kann der Eindruck gewonnen werden, dass die Arbeitsgruppe klare politische Vorgaben hatte. Der Vertreter des Justizministeriums, Sektionsleiter Dr. Gerhard Hopf, erwähnte ein SPÖ-internes Papier, wonach »nicht die Verpflichtung zur Haushaltsführung zu jeweils 50% auf die Ehepartner aufgeteilt werden solle, sondern die Gesamtbelastung der Ehepartner«.[246] Die Mitarbeiterin des Büros der Frauenministerin Maga. Sabine Safron bestätigte in ihrer Wortmeldung, dass »es um die Summe [der Belastungen, Anm. der Verfasserin] gehe«.[247]

Der Leitende Staatsanwalt Michael Stormann vom Justizministerium hielt fest, dass ein einseitiges Verlangen eines Partners zur Änderung von getroffenen Pflichtenaufteilungen auch gerechtfertigt sei, da es sich »bei der Ehe nicht um eine geplante Vertragskonstruktion, sondern um eine sich entwickelnde Sozialkonstruktion«[248] handle. Er führte ein Beispiel an, in dem beide Ehepartner berufstätig sind und die Frau nach der Geburt eines Kindes im Haushalt bleibt. Im Laufe der Zeit übernimmt die Frau sowohl die »Betreuung der Kinder als auch die Betreuung des Haushaltes zu 100%, während der Mann lediglich der Erwerbstätigkeit nachgeht«.[249] In weiterer Folge nehme die Frau ihre Erwerbstätigkeit wieder auf. Die Zusatzbelastung der Frau schleife sich ein, eine Zeit lang ertrage sie die Überbelastung, dann werde es ihr zuviel. Diese Situation müsse änderbar sein.[250] Deshalb sei ein Fingerzeig im Gesetz nötig, dass solche Ungleichbelastung nicht goutiert werde.[251]

Die Vertreterin des Familienministeriums Maga. Theresa Stourzh brachte die zustimmende Position ihres Ressorts zum Ausdruck. Es mögen die aufzuteilenden Pflichten im Gesetzestext beschrieben werden[252], aber die gesetzliche Durchsetzbarkeit der halbe/halbe-Verpflichtung werde nicht befürwortet[253], denn es handle sich »eher um ein Problem der Bewußtseinsbildung«.[254]

Schließlich wurde in der Diskussion als Konsens festgestellt, dass es sich bei der halbe/halbe-Regelung um die 50%-Teilung der Summe aus Lasten der Haushaltsführung, Betreuungstätigkeit und Erwerbstätigkeit handeln solle.[255] Es bestehe aber »weiterhin Dissens darüber, unter welchen Umständen und in welcher Form eine Änderung der einmal getroffenen Vereinbarung über die eheliche Lebensgestaltung möglich sein solle«[256], so der Sektionsleiter des Justiministeriums Gerhard Hopf.

Tags darauf in der Sitzung vom 11.2.1997 ging es unter den ExpertInnen im Wesentlichen um die Formulierungen im § 91 ABGB zur Aufteilung der Aufgaben in einer ehelichen Lebensgemeinschaft, ob diese als »halbe/halbe bzw. gleichteilig« bezeichnet oder »volle Ausgewogenheit bzw. gleichmäßig verteilt« heißen solle.[257]

Der Vertreter des Justizministeriums Michael Stormann trat für die Formulierung »volle Ausgewogenheit statt halbe/halbe (gleichteilig)«[258] ein. Diese Formulierung sei »eine Spur moderater als gleichteilig«.[259]

Mit diesem Formulierungsvorschlag war ein Durchbruch gelungen. Auf die Frage der Verfasserin nach einer juristischen Bewertung der Substanz dieses Kompromisses – insbesondere im Hinblick auf das ursprüngliche Anliegen des Frauenministeriums – erklärte Helene Klaar:

»Die volle Ausgewogenheit der Beiträge war kein Kompromiss, sondern damals ein ›Streit um Worte‹ im juristischen Sinn. Denn Professor Hoyer hat damals beim Wort ›gleichteilig‹ das Argument eingebracht, dass ein Behinderter bei gleichteilig nicht den Haushalt führen kann. So würde man alle Behinderten von der Ehe ausschließen. Das wollte aber niemand. Daraufhin haben wir vorgeschlagen, eine Formulierung zu nehmen, die ausdrückt, dass die Lasten innerhalb der Ehe gleich verteilt werden sollen. Da haben wiederum die Herren vom Ministerium sich dagegen ausgesprochen und gemeint, man kann nicht in einer Zeit, wo die Leute eh so ehemüde sind, schon ins Gesetz hineinschreiben, dass die Ehe eine Last wäre. Beides hab ich nicht richtig gefunden, weil wir sind ja weit davon entfernt, dass nur Rollstuhlfahrer sich nicht an der Hausarbeit beteiligten (...) Es war dann eine Erleichterung, als einer der Herren vom Justizministerium in die nächste Sitzung gekommen ist mit der Formulierung ›die volle Ausgewogenheit der Beiträge‹.«[260]

Helene Klaar brachte also zum Ausdruck, dass dieses Ergebnis nicht als Kompromiss im Sinne inhaltlicher Abstriche von den Positionen aller Verhandlungsteilnehmer zu werten sei, sondern das Anliegen des Frauenministeriums mit anderen, weniger umstrittenen Worten ausgedrückt, damit aber auch abgesichert worden wäre.
Ein weiterer Diskussionspunkt in der Expertengruppe war der § 49 EheG. Sektionsleiter Gerhard Hopf stellte die Frage, ob ein Verstoß gegen § 91 ABGB eine legistische Konsequenz im § 49 EheG haben und ob mit der Neufassung des § 49 EheG ein gewisses Signal gesetzt werden sollte.[261]
Die Expertin des Frauenministeriums Helene Klaar wies in diesem Zusammenhang auf den bereits seit September 1995 vorliegenden Vorschlag des Frauenministeriums zum § 49 EheG hin, der lautete:

»Ein Ehegatte kann die Scheidung begehren, wenn der andere durch eine schwere Eheverfehlung, insbesondere (...) durch eine sonstige schwere Eheverfehlung, vor allem durch Verletzung seiner Pflichten im Sinne des § 91 ABGB (...) die Ehe so tief zerrüttet hat, daß die Wiederherstellung einer ihrer im Wesen entsprechenden Lebensgemeinschaft nicht erwartet werden kann.«[262]

Diese Formulierung mit einem expliziten Verweis, wonach die Nichtbeteiligung an der Versorgungsarbeit als Tatbestand einer Eheverfehlung qualifiziert wurde, war in der Arbeitsgruppe nicht konsensfähig. Sektionsleiter Gerhard Hopf interpretierte, dass es »offensichtlich nur um ein Signal und um die Suche nach einer Sanktion«[263] gehen solle. In den Erläuternden Bemerkungen werde »selbstverständlich darauf hingewiesen, daß ein Verstoß gegen § 91 ABGB eine Eheverfehlung ist«.[264] Das werde von der Judikatur akzeptiert und betreffe klarerweise den § 49 EheG.[265] Im Protokoll einer weiteren Arbeitsgruppensitzung vom 13.2.1997 wurde dann von Sektionsleiter Gerhard Hopf weiter ausgeführt, dass mangelndes Mitwirken des Mannes an der Haushaltsführung ein Scheidungsgrund ist und dies bereits Judikatur sei.[266]
Zum § 49 EheG gab es in der Arbeitsgruppe demnach zwar keine Einigung auf eine konkrete Formulierung, aber offensichtlich Konsens darüber, dass die Nichtbeteiligung an der Versorgungsarbeit als Eheverfehlung anzusehen sei. Umstritten war daher die Form, nicht die Substanz.

7.3 Der Gesetzesbeschluss

Auch die Erläuternden Bemerkungen zur Regierungsvorlage des Eherechts-Änderungsgesetzes betonen die Bedeutung der ExpertInnengruppe. Unter Berücksichtigung ihrer Diskussionsergebnisse wie auch zahlreicher schriftlicher Stellungnahmen sei sodann der Ministerialentwurf eines Ehe- und Scheidungsrechts-Änderungsgesetzes ausgearbeitet und im August 1998 zur allgemeinen Begutachtung versendet worden.[268]
Bei dem für unsere Untersuchung zentralen § 91 ABGB gab es zwischen dem Ministerialentwurf und der nachfolgenden Regierungsvorlage Übereinstimmung.
Der Gesetzestext (in Kraft getreten am 1.1.2000) lautet:

»§ 91.
(1) Die Ehegatten sollen ihre eheliche Lebensgemeinschaft, besonders die Haushaltsführung, die Erwerbstätigkeit, die Leistung des Beistandes und der Obsorge, unter Rücksichtnahme aufeinander und auf das Wohl der Kinder mit dem Ziel voller Ausgewogenheit ihrer Beiträge einvernehmlich gestalten.
(2) Von einer einvernehmlichen Gestaltung kann ein Ehegatte abgehen, wenn dem nicht ein wichtiges Anliegen des anderen oder der Kinder entgegensteht oder, auch wenn ein solches Anliegen vorliegt, persönliche Gründe des Ehegatten, besonders sein Wunsch nach Aufnahme einer Erwerbstätigkeit, als gewichtiger anzusehen sind. In diesen Fällen haben sich die Ehegatten um ein Einvernehmen über die Neugestaltung der ehelichen Lebensgemeinschaft zu bemühen.«[269]

Bezüglich Absatz 1 muss hier nochmals auf den Diskussionsprozess in der Arbeitsgruppe verwiesen werden, wo der diesbezügliche Formulierungsvorschlag »volle Ausgewogenheit statt halbe/halbe (gleichteilig)«[270] Eingang gefunden hat. In den Erläuterenden Bemerkungen des Gesetzgebers zum § 91 ABGB wird festgehalten, dass das »für die Gestaltung der ehelichen Lebensgemeinschaft verankerte Partnerschaftsprinzip (...) [und, Anm. der Verfasserin] die damit verbundenen Aufgaben und Lasten, insbesondere Erwerbstätigkeit, Haushaltsführung und Kinderbetreuung, in Summe gleich aufgeteilt werden sollen«.[271] Es wird weiter erklärt, dass es nicht darum gehe, die einzelnen Aufgabenbereiche exakt je zur Hälfte durch die beiden Ehegatten zu teilen, sondern es solle über das geltende Recht hinaus zu einer gleichteiligen Tragung der mit diesen Aufgabenbereichen insgesamt verbundenen Lasten kommen.[272]

Helene Klaar erklärte zur Frage, inwiefern das ursprüngliche Anliegen Helga Konrads mit der Gesetzesreform verwirklicht worden sei, wie folgt:
»Halbe/halbe war ja nie gemeint, weil ja immer auch die Maßgabe der beruflichen Belastung berücksichtigt wird. Derjenige, der die aufreibendere Berufstätigkeit hat, kann nicht in gleicher Weise Haushalt führen. Das war ja schon vorher so im Gesetz und sollte nicht anders sein. Die ›volle Ausgewogenheit der Beiträge‹ bringt es schon ganz gut, das ist ein juristischer Begriff, mit dem man gut operieren kann.«[273]

Es sei auch Ergebnis der Reform, dass die »einvernehmliche Regelung über die Gestaltung der Lebensgemeinschaft sich nicht nur beschränken [kann, Anm. der Verfasserin] auf Haushalt, im Sinn von Einkaufen, Kochen, Zusammenräumen und Erwerbstätigkeit, sondern auch Pflege der Kinder, Pflege von Angehörigen und Ähnliches mit umfasst sein muss«.[274]

Offenkundig gelang es mit der Formulierung im § 91 ABGB Abs. 1 (»unter Rücksichtnahme aufeinander und auf das Wohl der Kinder mit dem Ziel voller Ausgewogenheit ihrer Beiträge einvernehmlich zu gestalten«), die politischen Turbulenzen zu beseitigen und einen Fortschritt auf dem Weg zur Geschlechterdemokratie zu erreichen. Ob mit einer pointierteren Formulierung, wie sie von Helga Konrad angestrebt wurde, die Bewusstseinsänderung im Sinne der Geschlechterdemokratie erfolgversprechender gewesen wäre, wird wohl erst anhand der nachfolgenden Judikatur zu beurteilen sein.

Ein weiterer Baustein des Eherechts-Änderungsgesetzes bezog sich auf § 95 ABGB. Dessen endgültige Fassung (in Kraft getreten am 1.1.2000) stand bereits mit der Regierungsvorlage fest und lautete:

»§ 95. Die Ehegatten haben an der Führung des gemeinsamen Haushalts nach ihren persönlichen Verhältnissen, besonders unter Berücksichtigung ihrer beruflichen Belastung, mitzuwirken. Ist jedoch ein Ehegatte nicht erwerbstätig, so obliegt diesem die Haushaltsführung; der andere ist nach Maßgabe des § 91 zur Mithilfe verpflichtet.«[275]

Zentrale Änderung bei diesem Paragraphen ist die Hinzufügung des letzten Satzes, der klarstellt, »daß in einer Hausfrauen- bzw. Hausmännerehe auch der berufstätige Teil in seiner Freizeit grundsätzlich zur Mithilfe verpflichtet ist«.[276] Diese gesetzliche Bestimmung war im Ministerialentwurf nicht enthalten, sie fand erst Eingang in die Regierungsvorlage. Sie ist einer Anregung im Begutachtungsverfahren folgend im Gesetzestext explizit festgeschrieben worden.[277]
Es kann vermutet werden, dass das Frauenministerium vehement auf den letzten Satz im § 95 bestanden hat (der Verfasserin waren diesbezüglich keine Unterlagen mehr zugänglich), denn schon in der Amtszeit von Helga Konrad wurde diese Forderung erhoben.[278] In gleicher Weise betonte Frauenministerin Barbara Prammer in ihrer Rede vor dem Nationalrat, für sie habe ein wichtiger Bereich in dieser Novelle Eingang gefunden, nämlich die »Klarstellung und Dynamisierung bei der Aufteilung der Versorgungsarbeit (…) und somit auch die Verdeutlichung des Umstandes, dass auch der berufstätige Ehegatte den anderen in seiner Freizeit im Haushalt unterstützen muß«.[279]

Eine weitere Forderung Helga Konrads war, die Nichtbeteiligung an der Haus- und Pflegearbeit ausdrücklich im § 49 EheG als eine schwere Eheverfehlung und somit als Scheidungsgrund zu qualifizieren.[280]

Der Gesetzestext (in Kraft getreten am 1.1.2000) lautet:

»§ 49. Ein Ehegatte kann Scheidung begehren, wenn der andere durch eine sonstige schwere Eheverfehlung oder durch ehrloses oder unsittliches Verhalten die Ehe schuldhaft so tief zerrüttet hat, daß die Wiederherstellung einer ihrem Wesen entsprechenden Lebensgemeinschaft nicht erwartet werden kann. Eine schwere Eheverfehlung liegt insbesondere vor, wenn ein Ehegatte die Ehe gebrochen oder dem anderen körperliche Gewalt oder schweres seelisches Leid zugefügt hat. Wer selbst eine Verfehlung begangen hat, kann die Scheidung nicht begehren, wenn nach der Art seiner Verfehlung, insbesondere wegen des Zusammenhangs der Verfehlung des anderen Ehegatten mit seinem eigenen Verschulden sein Scheidungsbegehren bei richtiger Würdigung des Wesens der Ehe sittlich nicht gerechtfertigt ist.«[281]

Dass der Passus »Nichtbeteiligung an der Haus- und Pflegearbeit« nicht ausdrücklich im Gesetz formuliert wurde, kann dadurch erklärt werden, so Helene Klaar, dass »das Wort ›insbesondere‹ in einem juristischen Text eine beispielhafte Aufzählung« bedeute.[282] Tatsache sei, dass »im § 49 EheG Ehebruch, körperliche Gewalt, schweres seelisches Leid erwähnt ist, und da gäbe es noch zahlreiche andere schwere Eheverfehlungen. Hier gehört die Vernachlässigung der Haushaltsführung oder der Mitwirkung im Haushalt durchaus dazu«.[283]
»Alles, was gegen eine der normierten Verpflichtungen im ABGB verstößt, ist eine schwere Eheverfehlung, und der § 95 sieht die Verpflichtung zur gemeinsamen Haushaltsführung vor; ein Verstoß dagegen ist eine schwerwiegende Eheverfehlung«[284], so Helene Klaar.
Mit dieser gesetzlichen Bestimmung wurde das Anliegen Helga Konrads zwar nicht im wörtlichen Sinn übernommen, jedoch in der Substanz erreicht.
Das Eherechtsänderungsgesetz stand schließlich am 16.6.1999 im Plenum des Nationalrates zur Debatte.[285]
Aus der Sicht der ÖVP-Abgeordneten Maria Theresia Fekter, Rosemarie Bauer und Gertrude Brinek sei die Regierungsvorlage ein ausgewogenes Produkt, und es sei das Ziel der ÖVP, ein partner-

schaftliches, familienorientiertes Ehe-, Zusammenlebens- und Frauenmodell zu verfolgen. Mit dieser Novelle sei man der Gerechtigkeit und dem Prinzip der Angemessenheit näher gekommen.[286] In Richtung FPÖ argumentierte Abgeordnete Fekter, dass der Mann nicht mehr das Oberhaupt der Familie sei, sondern beide Partner müssten gemeinsam zum Wohl der Familie beitragen.[287]

Für die Grünen nahm Doris Kammerlander in der Debatte Stellung. Sie bezeichnete die Reform des Eherechts als »vordringliches frauenpolitisches Anliegen«[288], denn nach wie vor sei die Versorgungsarbeit, für die Frauen zuständig gemacht werden, Hindernis für die Vollbeschäftigung, und daher seien Frauen ihrer Chancen auf eine eigenständige Absicherung beraubt. Die Abgeordnete stellte weiter fest, dass das Gesetz »meilenweit von der Gleichbehandlungspolitik entfernt« sei und bezeichnete es als »faulen Kompromiss«.[289]

Der Bundesminister für Justiz Nikolaus Michalek bezeichnete in der Debatte den zur Beschlussfassung vorliegenden Entwurf nicht als eine grundlegende Erneuerung des österreichischen Eherechtes. Er sei aber überzeugt, dass dieses »Gesetz jedenfalls ein wichtiger Schritt zur Weiterentwicklung unseres Eherechtes ist, ein Schritt durchaus im Einklang mit unserer gesellschaftlichen Entwicklung«.[290] Er hob die Neuformulierung des Partnerschaftsprinzips im § 91 ABGB vor, wonach die Ehegatten ihre eheliche Lebensgemeinschaft mit dem Ziel der vollen Ausgewogenheit ihrer Beiträge einvernehmlich gestalten sollen und betonte, dass dies von vielen – besonders jüngeren – Ehepaaren schon heute gelebte Ehewirklichkeit sei. Dasselbe gelte auch für die grundsätzliche Anerkennung des Wunsches eines Ehegatten nach Aufnahme einer Erwerbstätigkeit als einem wichtigen Grund für die Neugestaltung der ehelichen Lebensgemeinschaft.[291]

Frauenministerin Barbara Prammer äußerte zum Ergebnis der Novelle, dass sie sich durchaus mehr Veränderungen gerade im Familienrecht hätte vorstellen können. Einen Erfolg sah sie jedoch darin, dass »auch der *berufstätige* Ehegatte den anderen in seiner Freizeit im Haushalt unterstützen *muß*. Das ist eine erste, wirkliche Weiterentwicklung!«[292] Schlussendlich hielt Barbara Prammer fest, dass nur eine offene und echte Partnerschaft auf Basis von Eigenständigkeit und Unabhängigkeit gelebt werden könne, und sie sagte wörtlich: »Ich finde, dazu trägt diese Novelle ein beachtliches Stück bei.«[293]

In ihrer Rede zum Eherechts-Änderungsgesetz, diesmal als Abgeordnete zum Nationalrat, würdigte Helga Konrad den im Gesetzesentwurf enthaltenen Fortschritt, machte jedoch zugleich deutlich, dass das nunmehr Erreichte nicht das Ende der Entwicklung sein könne: »Die Novelle zum Eherechts-Änderungsgesetz, die heute zur Beschlußfassung vorliegt, ist ein Kompromiß. Ein Kompromiß ist auf jeden Fall besser als keine Lösung.«[294] Weiter meinte sie, dass durch diesen Kompromiss sehr deutlich werde, »wie klein die rechtlichen Schritte in Richtung einer echten Partnerschaft zwischen Frauen und Männern sein müssen, damit sie von der Politik – um es neutral zu formulieren – verkraftet werden«.[295]
Bemerkenswert an dieser Stellungnahme ist, dass dabei eine eher zurückhaltende Würdigung des Kompromisses zum Ausdruck kommt. Helga Konrad war offensichtlich der Auffassung, dass der Fortschritt ein eher bescheidener war, während das Ergebnis meiner Analyse dahin geht, dass in der Substanz doch vieles von den ursprünglichen Vorschlägen Konrads im Kompromiss enthalten ist.
Der Gesetzesentwurf wurde in der 174. Sitzung des Nationalrates am 16.6.1999 mit den Stimmen von SPÖ und ÖVP mehrheitlich angenommen.[296]
Am Tag darauf berichteten die Medien über den Beschluss, der als Kompromiss zu verstehen sei[297] und dass die Pflicht zur partnerschaftlichen Gestaltung der Ehe verdeutlicht würde.[298] Im Unterschied zur Medienberichterstattung über die Kampagne halbe/halbe war jene zum Gesetzesbeschluss durchaus unspektakulär.

8 Relevante frauenpolitische Aktivitäten im Kontext

In diesem Kapitel werden Aktivitäten vorgestellt, die im frauenpolitischen Kontext der neunziger Jahre des vorigen Jahrhunderts eine bedeutende Rolle gespielt haben. Wie schon in Kapitel 5.1 beschrieben, war das Bundesverfassungsgesetz zur Gleichstellung der Geschlechter eine zentrale Forderung auf der frauenpolitischen Agenda. Sie wurde seitens der SPÖ und der SPÖ-Frauen getragen und massiv verstärkt durch das Engagement autonomer Frauen, die sich zu einem FrauenVolksBegehren im Jahr 1996 zusammengeschlossen hatten.

8.1 Das FrauenVolksBegehren

Der Ausgangspunkt für die Initiative zum FrauenVolksBegehren war der Internationale Frauentag am 8. März 1996. An diesem Tag wurde gegen das Sparpaket der Regierung protestiert und damit gegen die männliche Politik.[299] Von diesem Zeitpunkt an haben sich Frauen immer wieder zu Treffen versammelt und die Idee für ein FrauenVolksBegehren geboren.[300] »Das Motto des Volksbegehrens, das das Unabhängige Frauen Forum (UFF) organisierte, ist: die Hälfte der politischen Macht den Frauen, die Hälfte der Familienarbeit den Männern.«[301]

Darüber hinaus waren zentrale Anlässe für den Protest gegen die SPÖ-ÖVP-Regierung:

- die Kürzung der Karenzzeit für Alleinerziehende auf 1,5 Jahre und die Streichung der Kindergartenmilliarde, die für
- die Erweiterung der Kinderbetreuungseinrichtungen vorgesehen war.

Das FrauenVolksBegehren mit 11 Forderungen wurde vom 7. April bis zum 14. April 1997 in Österreich durchgeführt und erhielt rund 645.000 Unterschriften. Im Zusammenhang mit der als sehr mangelhaft befundenen Bereitschaft der Regierungsparteien, die Ergebnisse des FrauenVolksBegehrens umzusetzen, wurde auch immer wieder der Ruf nach der Gründung einer eigenen Frauenpartei laut. Schon im März 1996 hatte Johanna Dohnal gesagt, dass sie über eine Frauenpartei nachdenke und sie sei damit nicht allein, ließ Eva Rossmann verlauten[302], die wie Johanna Dohnal Mitinitiatorin für das FrauenVolksBegehren war.

8.2 Die Kindergartenmilliarde

Eine wichtige Initiative von Frauenministerin Helga Konrad war die so genannte »Kindergartenmilliarde«, die gleich zu Beginn ihrer Amtszeit zwischen Bund und Ländern ausverhandelt wurde.[303] Ziel war, mit diesen finanziellen Mitteln den Ausbau ganztägiger und qualitativ hochwertiger Kinderbetreuungseinrichtungen zu forcieren und somit Frauen zu unterstützen, Beruf und Familie besser vereinbaren zu können.[304]
Der Koalitionsbruch durch die ÖVP im Herbst 1995 stoppte dieses Vorhaben der Frauenministerin und sie bedauerte, dass dies konkrete Auswirkungen auf die Frauenpolitik habe, nämlich: »Die Verteilung der Mittel für Kinderbetreuungseinrichtungen aus der sogenannten ›Kindergartenmilliarde‹ kann jetzt nicht erfolgen.«[305]
Bei den Regierungsverhandlungen 1996 wurde die Forderung der Frauenministerin zum Thema »Ausbau von ganztägig geöffneten Kinderbetreuungseinrichtungen«[306] eingebracht, die vorsah, dass der Bund zur Finanzierung der Kinderbetreuung eine Milliarde Schilling beisteuern sollte.[307]
Diese Initiative der Frauenministerin stieß allerdings aufgrund budgetärer Probleme (Sparpaket 1996) auf beträchtliche Schwierigkeiten. So stellte beispielsweise ÖVP-Klubobmann Andreas Khol fest: »Man kann nicht den Familien durch das Sparpaket etwas wegnehmen und gleichzeitig einer staatlichen Einrichtung etwas dazugeben.«[308]

Proteste der Frauen am Internationalen Frauentag 1996 folgten, allen voran der damaligen Vorsitzenden der ÖGB-Frauen Irmgard Schmidleithner:

»Der sogenannten ›Kindergartenmilliarde‹, die Frauenministerin Konrad den ÖGB-Frauen bei der Eröffnung des ÖGB-Frauenkongresses Ende Mai 1995 bereits fix für die laufende Legislaturperiode zugesagt hatte, drohte die Streichung. Gemeinsam mit anderen Frauenorganisationen demonstrierten die ÖGB-Frauen unter ihrer Vorsitzenden Irmgard Schmidleithner deshalb am 8. März 1996 vor dem Parlament. Anders als angedroht, kam es doch zur Förderung des Ausbaus der Kinderbetreuung durch den Bund: Sowohl 1997 als auch 1999 stellte die Regierung je 600 Millionen Schilling bereit.«[309]

Dass die Maßnahme einer Kindergartenmilliarde bis ins Jahr 2006 noch hohe Aktualität hat, zeigten jüngst öffentliche Aussagen von Politikerinnen. Die Zweite Nationalratspräsidentin Barbara Prammer stellte fest, dass durch die so genannte Kindergartenmilliarde, »mit deren Hilfe unter SPÖ-Regierung 1997 bis 2000 insgesamt rund 30.000 Betreuungsplätze geschaffen worden sind, diese auch einen positiven Beschäftigungseffekt vor allem für Frauenarbeitsplätze«[310] hatte. Allein 1997/98 seien mit der Kindergartenmilliarde rund 2.000 Arbeitsplätze vor allem für Frauen geschaffen worden.[311] Prammer forderte eine Weiterführung der Kindergartenmilliarde. In dieselbe Richtung ging die Forderung der steirischen Landesrätin Bettina Vollath (SPÖ) am 14.3.2006. Sie forderte erneut die Einführung der Kindergartenmilliarde sowie die Aufstockung der Betreuungseinrichtungen für Kinder unter drei Jahren. Anlass zu dieser Forderung boten auch die jüngsten Arbeitsmarktdaten, die für die Frauen in der Steiermark eine definitive Verschlechterung ausweisen würden.[312]

8.3 Bundesgesetz zum Schutz gegen Gewalt in der Familie

Ein weiteres Gesetz soll hier angeführt werden, das innerhalb der Amtszeit von Frauenministerin Helga Konrad erarbeitet wurde und die Unterstützung von Seiten autonomer Frauen und Frauengruppen fand: das »Gesetz zum Schutz gegen Gewalt in der Familie«, das in Kurzform auch »Gewaltschutzgesetz« genannt wird. Diesem Gesetz zufolge muss der Täter – und nicht das Opfer – im Gewaltfall die Wohnung verlassen. Das Gesetz ist ein Meilenstein zum Schutz gegen häusliche Gewalt. Fünf Interventionsstellen gegen Gewalt, die im Notfall von der Exekutive und den Gerichten verpflichtend eingeschaltet werden, wurden projektiert. Das Gewaltschutzgesetz ist am 1.5.1997 in Kraft getreten.

»Herzstücke dieses europäischen Meilensteins in der Gewaltprävention sind die Möglichkeit, den Täter auch ohne Anzeige der Wohnung verweisen zu können [wird als «Wegweiserecht» bezeichnet, Anm. der Verfasserin] und die Möglichkeit eines Rückkehrverbotes für den Gewalttäter.«[313]

9 Abschließende Bemerkungen

9.1 Erkenntnisse

Am Beispiel der gesetzlichen Verankerung partnerschaftlicher Teilung der Versorgungsarbeit wurde der Frage nachgegangen, inwiefern Politik die Privatsphäre gestalten kann.

9.1.1 Patriarchale Denkmuster als Hindernisse auf dem Weg zur Geschlechterdemokratie

Kapitel 2 behandelte wesentliche Denkmuster, die in der Literatur als bedeutende Elemente patriarchalen Denkens identifiziert wurden. Zugleich stellen diese Denkmuster zähe, nur in sehr langwierigen historischen Prozessen zu überwindende Hindernisse auf dem Weg zur Geschlechterdemokratie dar.

Meine Analyse sollte die Relevanz dieser Denkmuster für die politische Auseinandersetzung in Österreich deutlich machen. In der Debatte über eine gesetzliche Verankerung der partnerschaftlichen Teilung der Versorgungsarbeit waren und sind diese Denkmuster präsent.

Das zentrale Element war die Abwehr gegen staatliche Eingriffe in das Private. Diese Argumentation wurde von ÖVP, FPÖ und dem Liberalen Forum vertreten (und war wohl auch bei SPÖ-Männern anzutreffen).

Die Trennung der Privatsphäre von der Politik steht für ein bürgerliches Staatsverständnis, das auf dem Geschlechtervertrag beruht. Patriarchale Verhältnisse werden im Namen der Privatsphäre, die es vor gesetzlichen Eingriffen zu schützen gelte, festgeschrieben, die Unterwerfung der Frauen durch die Männer fortgesetzt.

Erhebliches Gewicht hatte in der politischen Debatte auch das

Denkmuster des Familialismus, also der Argumentation, die mittels eines ideologisierten Familienverständnisses[314] im Namen des Gemeinwohles auftritt, tatsächlich aber auf die Verfestigung von Geschlechterhierarchie hinausläuft. Dieses Denkmuster war sowohl bei der ÖVP als auch der FPÖ beobachtbar.
Sowohl in der ÖVP als auch in der FPÖ waren es nicht nur Männer, sondern auch Frauen, die solche Denkmuster vertraten. Dies kann als Internalisierung der Geschlechterhierarchie gedeutet werden, wobei sich die Frauen den Männern unterordnen und somit zum Weiterbestehen patriarchaler Verhältnisse wesentlich beitragen.
Die dabei über Frauen ausgeübte Macht kann im Sinne des Weberschen Machtbegriffes als Durchsetzung der Männer gegenüber den Fraueninteressen gedeutet werden, wobei aber auch der Machtbegriff von Hannah Arendt dazu beiträgt, das Funktionieren von patriarchalen Machtstrukturen zu erklären: Es mangelt an einvernehmlichem Handeln – sowohl von Frauen mit Frauen als auch von Frauen mit aufgeschlossenen Männern – zur Überwindung patriarchaler Herrschaftsverhältnisse. Diese Ansätze sollen nun auch in meine abschließenden Überlegungen und im Hinblick auf mögliche Perspektiven einfließen.

9.1.2 Ergebnis der Politikfeldanalyse: Was hat halbe/halbe bewirkt?

Die Initiative zur gesetzlichen Verankerung der partnerschaftlichen Teilung von Versorgungsarbeit hat zu einer Reform der Ehegesetzgebung geführt. Die Frage ist, welcher Fortschritt tatsächlich erzielt worden ist und was daraus für die Bedingungen abzuleiten ist, unter denen eine Annäherung an die Geschlechterdemokratie erfolgreich sein kann.
Das ursprüngliche Ziel der SPÖ-Frauen (von der Gesamtpartei durch Parteitagsbeschlüsse mitgetragen) war eine gesetzliche halbe/halbe-Regelung für die Teilung der Versorgungsarbeit zwischen Mann und Frau. Dies konnte so nicht erreicht werden, der

Koalitionspartner ÖVP blockierte die Zielsetzung. Allerdings gelang eine Eherechtsreform, welche die »volle Ausgewogenheit« der Beiträge von Frau und Mann bei der Bewältigung ihrer Lasten (Haushaltsführung, Erwerbstätigkeit, Pflege von Kindern und anderen Angehörigen) gesetzlich festschrieb. Damit wurde die Versorgungsarbeit erfolgreich adressiert und zum Gegenstand rechtlicher Regelung gemacht. Auch in jenen Fällen, wo ein Ehepartner berufstätig ist und die oder der andere zuhause bleibt, hat sich der berufstätige Partner in seiner Freizeit an der Versorgungsarbeit angemessen (im Sinne voller Ausgewogenheit – siehe § 91) zu beteiligen. Die Missachtung dieser Grundsätze ist, wenn auch nicht explizit im Ehegesetz genannt, als Eheverfehlung anzusehen.
Diese Reform ist zweifellos ein erheblicher Erfolg der in diesem Buch dokumentierten Bemühungen der SPÖ-Frauenpolitik, weil die Versorgungsarbeit in gesetzliche Regelungen einbezogen und damit der bürgerliche Grundsatz der Trennung von öffentlich und privat durchbrochen wird. Zugleich kann die Reform als wichtiger Schritt auf dem langen Weg zur Geschlechterdemokratie gewertet werden.

Was lässt sich aus dieser Politikfeldanalyse für die Bedingungen ableiten, unter denen Gleichstellungspolitik erfolgreich sein kann?
Es ließ sich nachzeichnen, dass die Gesetzesinitiative erfolgreich war, als auf bestimmte Formulierungen mit besonderer Signalwirkung (z.B. das explizite Qualifizieren der Nichtbeteiligung an der Versorgungsarbeit als Eheverfehlung) verzichtet wurde und die »öffentliche Begleitmusik« entemotionalisiert wurde (Verzicht auf die Fortsetzung der Kampagne halbe/halbe). Das letztendlich Erreichte enthielt viel von der Substanz der ursprünglichen, von der ÖVP massiv bekämpften Initiative. Anzunehmen ist, dass die Änderung der Form dazu wesentlich beigetragen hat. Dies würde bedeuten, dass eine machtpolitische Vorgangsweise im Sinne des konsensualen Machtbegriffs erfolgreich war: Einvernehmen über notwendige Reformen wurde hergestellt, wozu

der Verzicht auf – vor allem in den Augen von Männern – provokante Formulierungen eine nötige Voraussetzung gewesen sein könnte.

Andererseits liegt folgende Vermutung nahe: Erst die große Aufmerksamkeit erregende Kampagne halbe/halbe bereitete den Boden für eine Reform so weit auf, dass (im Sinne einer Vorgangsweise nach dem Motto: zwei Schritte vor, einer zurück) im Anschluss ein Ergebnis erzielbar war. Zwar war dieses nicht deckungsgleich mit den ursprünglichen Vorstellungen der Initiatorinnen, enthielt aber doch erhebliche Reformsubstanz im Sinne der Geschlechterdemokratie. Die entsprechende Vorgangsweise lässt sich mit dem Machtbegriff Max Webers erklären: Es ging um die erfolgreiche Durchsetzung gegen Widerstände.

So gesehen hätte sich im Fall der Initiative zur gesetzlichen Verankerung partnerschaftlicher Teilung der Versorgungsarbeit eine machtpolitische Strategie als erfolgreich erwiesen, die in einer Koppelung zweier verschiedener Elemente besteht: die Durchsetzung gegen Widerstände einerseits, und die konsensuale Vorgangsweise im Sinne nötiger Reform andererseits.

9.2 Perspektiven

Festhalten lässt sich, dass der politische Diskurs in Österreich stark von hierarchisch-patriarchalen Denkmustern geprägt ist. Mit der Familienrechtsreform von 1975 wurde zweifelsohne ein wichtiger Schritt in Richtung Gleichberechtigung der Geschlechter geschaffen. Der Mann als Haupt der Familie hat seine gesetzliche Vorrangstellung verloren. Im Ehe- und Familienrecht wurde das demokratisch-partnerschaftliche Prinzip verankert.[315] Allein mit der formalen Gleichstellung zwischen Frauen und Männern konnte die jahrhundertelange Diskriminierungstradition und die geschlechtsbedingte Benachteiligung von Frauen noch nicht erreicht werden.[316] Das Ziel einer Geschlechterdemokratie erfordert kollektive Ansätze[317] wie eine »grundlegende Neustrukturierung der sozial-, steuer-, renten- und versicherungspolitischen Infrastruktur unserer Gesellschaft«.[318] Auch die in dieser Arbeit analysierte Eherechtsreform verfolgte konsequenterweise einen kollektiven Ansatz mit dem Ziel, die individuelle Änderung von Verhaltensweisen zu unterstützen.

Nach wie vor treffen wir in der österreichischen Gesellschaft auf ein Rollenverständnis der Geschlechter, das den bürgerlichen Denkmustern von Ehe und Familie entspricht. Im Sozialisationsprozess werden diese tradiert und tragen somit dazu bei, dass die geschlechtsspezifische Arbeitsteilung weitgehend aufrecht bleibt.[319] Das zeigt sich gerade beim Kinderbetreuungsgeld, einer Maßnahme der ÖVP-FPÖ-Regierung aus dem Jahr 2002, die darauf abzielt, Frauen vom Arbeitsmarkt fernzuhalten und in die häuslichen vier Wände abzudrängen. Insofern also Familienpolitik als Reproduktionspolitik verstanden wird, festigt dies die Bindung der Frauen ans Haus.[320]
Angesichts dessen braucht es daher weitere Initiativen, die einerseits verhindern, dass das Rad der Zeit zurückgedreht wird, andererseits offensiv neue Versuche starten, der Geschlechterdemokratie näher zu kommen. Solche neuen Anläufe werden auch die

Versorgungsarbeit selbst nicht aussparen können und über den im Jahr 1999 erzielten Kompromiss hinausgehen müssen. Es geht daher um das konsequente Infragestellen der Trennung von öffentlich und privat, um »alternative Modelle der Arbeit, des Zusammenlebens, eines Demokratieverständnisses und Politikkonzeptes«.[321]

Bei der Verfolgung dieser Zielsetzungen müssen Frauen, darauf macht uns Barbara Schaeffer-Hegel aufmerksam, die Strategien von Konfliktfähigkeit und Bündnisfähigkeit miteinander verknüpfen und diese in Frauennetzwerken konsequent praktizieren.[322]

Nachwort

Durch die Familienrechtsreform der Jahre 1976 und 1978 wurde das aus dem Jahr 1811 stammende Familienrecht tiefgreifend reformiert, das in einer agrarischen Gesellschaft des ausgehenden 18. bzw. beginnenden 19. Jahrhunderts verwurzelte patriarchalische System ersetzt durch ein partnerschaftliches Familienrecht, in dem Rechte, Pflichten und Funktionen von Männern und Frauen in der Familie grundsätzlich gleich sind.
Es ist bezeichnend, dass diese überfällige Anpassung an die gesellschaftlichen Gegebenheiten und Bedürfnisse einer industrialisierten Gesellschaft des 20. Jahrhunderts erst in der zweiten Hälfte der 70er Jahre dieses Jahrhunderts, in der Zeit der Alleinregierung der SPÖ, möglich war.

Aus Respekt vor dem »bürgerlichen Lager« und aus Furcht, als »familienfeindlich« zu gelten, hat allerdings die SPÖ bei der Ausgestaltung der neu geschaffenen Normen des Familienrechts einen »Kotau« vor der »Hausfrauenehe« gemacht und diese in Wahrheit auf den engeren Kreis des Bürgertums beschränkte Form der Gestaltung der ehelichen Lebensgemeinschaft trotz der damit zwangsläufig verbundenen ungleichen Verteilung von bezahlter und unbezahlter Arbeit, Teilhabe an der Erziehung der Kinder, Macht und Abhängigkeit zur »gleichwertigen Form der Gestaltung der ehelichen Lebensgemeinschaft« erklärt.
Trotz nach wie vor fehlender ökonomischer und sozialer Absicherung der »Hausfrauenehe« wird Frauen bis heute suggeriert, sie hätten die »Wahlfreiheit« zwischen zwei gleichwertigen Ehemodellen.

§ 91 ABGB in der Fassung der Familienrechtsreform 1976 beschränkte sich auf den Wortlaut: »Die Ehegatten sollen ihre eheliche Lebensgemeinschaft, besonders die Haushaltsführung und die Erwerbstätigkeit, unter Rücksichtnahme aufeinander und auf das Wohl der Kinder einvernehmlich gestalten.«

Dem war keine Zielvorgabe für die Art der Gestaltung der ehelichen Lebensgemeinschaft zu entnehmen und auch nicht, unter welchen Voraussetzungen, wann und wie die vorgesehene »Gestaltung« vorgenommen und ob, wann und wie sie wieder abgeändert werden sollte.

Eine Rechtssprechung, die zumindest zum Teil der Auffassung anhing, dass »im Zweifel« eher der Teil zu schützen wäre, der auf das Fortbestehen einer einmal getroffenen Vereinbarung vertraut hat (will sagen: im Konfliktfall dem Ehemann Recht gab, der darauf vertraute, niemals zur Hausarbeit herangezogen zu werden, auch nicht, wenn seine bis dahin nur haushaltsführende Ehefrau auch wieder eine außerhäusliche Beschäftigung annahm), tat ein Übriges, um die Vereinbarkeit von Beruf und Familie alleine den betroffenen Frauen zu überlassen.
Tatsächlich ist jedoch eine gerechte, das heißt möglichst gleichteilige Aufteilung der Reproduktionsarbeit essenzielle Voraussetzung für die Berufstätigkeit von Frauen.
Die Mikrozensuserhebung belehrt uns, dass in einem Haushalt mit zwei Erwachsenen und zwei Kindern unter zehn Jahren Frauen fünf bis sechs Stunden Hausarbeit täglich leisten, Männer ein bis eineinhalb Stunden.

Wer täglich acht (in Zukunft vielleicht sogar zehn?) Stunden Erwerbsarbeit leisten, etwa zwei Stunden Wegzeit in Kauf nehmen und danach noch fünf bis sechs Stunden im Haushalt arbeiten muss, dem bleibt kaum Zeit und Energie für einen Kino- oder Theaterbesuch, einen Kaffeeplausch, Ausgleichssport, ja nicht einmal für das Sexualleben; jeder Versuch, kulturelle oder andere Freizeitbedürfnisse zu befriedigen, wird mit Schlaflosigkeit bezahlt.
Belastungsdepressionen sind die häufige Folge der Mehrfachbelastung.
Wer so lebt, ist letztlich dem anderen Ehepartner dankbar, wenn dieser ein – zumindest vorübergehendes – Ausscheiden aus dem Erwerbsleben ermöglicht; gerne wird von der Ehefrau, die »zu-

hause bleiben darf« oder nur mehr Teilzeit arbeiten »muss«, auch der Part des Ehemannes an der Hausarbeit übernommen.
Die »Hausfrauenfalle« hat zugeschnappt, der Verlust erworbener beruflicher Qualifikation, die Entfremdung von der Arbeitswelt, schwindendes Selbstbewusstsein und schlechte Chancen beim Wiedereinstieg in das Berufsleben sind die Folgen der temporären Entlastung.
Wünscht der Ehemann zu einem späteren Zeitpunkt die Scheidung, so können sowohl sexuelles Desinteresse der Frau, fehlende geistige Entwicklung, Vernachlässigung des Mannes zu Gunsten der gemeinsamen Kinder, Unverständnis für die beruflichen Probleme des Ehemannes etc. als Verfehlungen der Frau interpretiert werden, die zur Feststellung eines Verschuldens beider Partner an der Zerrüttung führen. Die Folge eines derartigen beidseitigen Verschuldens ist der Verlust des Anspruchs auf angemessenen Unterhalt nach der Ehe und damit auch der Verlust jeglichen Anspruchs auf Hinterbliebenenpension, da diese Unterhaltsleistungen zu Lebzeiten des Verstorbenen zur Voraussetzung hat. Für die Hausfrau, die selbst keinen eigenen Existenz sichernden Pensionsanspruch erwerben konnte, ist damit der Abstieg zum Sozialfall vorprogrammiert.
Das Familienrechtsänderungsgesetz 1999 hat sich bemüht, diese für Frauen verhängnisvolle Kette an zwei Stellen zu durchbrechen:

Durch den § 68 a EheG wurde ein Unterhaltsanspruch auch für geschiedene Frauen geschaffen, die an der Zerrüttung ihrer Ehe nicht gänzlich oder überwiegend schuldlos sind, soferne ihre Unterhaltsbedürftigkeit auf die Gestaltung der ehelichen Lebensgemeinschaft zurückzuführen ist, also insbesondere für Mütter kleiner Kinder, oder aber für Frauen, die lange keiner eigenen Erwerbstätigkeit nachgegangen sind, um ihren familienrechtlichen Verpflichtungen besser nachkommen zu können.
Darüber hinaus wurde durch die Neugestaltung des § 91 ABGB dem Auftrag an die Ehegatten, ihre Lebensgemeinschaft einvernehmlich zu gestalten, die Zielvorgabe »der vollen Ausgewogenheit der Beiträge« hinzugefügt; der neu geschaffene Absatz 2 des §

91 ABGB enthält ein genaues Procedere, unter welchen Umständen von einer einvernehmlichen Gestaltung wieder abgegangen werden kann.

Beide Ergänzungen des § 91 ABGB stärken die Position der berufstätigen Hausfrau.
Die gleichteilige Aufteilung der Hausarbeit und das Verlangen einer Ehefrau nach Entlastung, wenn sie in einem frühen Stadium der Ehe Pflichten übernommen hat, deren Erfüllung letztlich über ihre Kräfte geht, oder eine Änderung durch die Wiederaufnahme oder Erweiterung ihrer Berufstätigkeit eintritt, sind durch das bestehende Gesetz gedeckt.
Der nächste Schritt der gesetzlichen Entwicklung wäre es, die Hausfrauen/Hausmannehe nicht als gleichwertiges Ehemodell, sondern lediglich als Notlösung für den Fall der Notwendigkeit der Betreuung von Kleinkindern oder kranken oder behinderten Angehörigen, oder aber für den Fall ungewollter Arbeitslosigkeit eines der Ehegatten zu definieren.
Dies kann allerdings nur erwartet werden, wenn auf politischer Ebene eine Gesellschaft angestrebt wird, in welcher den Frauen die Hälfte der bezahlten Arbeit und der Macht, den Männern die Hälfte der unbezahlten Arbeit und der Familie zukommen soll.

Wien, April 2007
Helene Klaar

Fußnoten

1 vgl. Hieden-Sommer, Helga, 1995: Frauenpolitik. S. 20–23.
2 vgl. AK-Frauenbericht, 2005. S. 62.
3 ebd. S. 53.
4 vgl. Frau & Politik Nr. 6, Juni 1996. S. 12–13.
5 vgl. Kolbe, Wiebke, 2002: Elternschaft im Wohlfahrtsstaat. S. 200–291.
6 Quelle: Gabriele Schmid, AK-Wien, Power-Point-Präsentation bei der Frauenakademie des Renner-Instituts 2006.
7 vgl. Schubert, Klaus/Bandelow, Nils C., 2003: Lehrbuch der Politikfeldanalyse. S. 4–6.
8 vgl. Löffler, Marion, 2001: Herrschaft als zentrales Konzept zur Entschlüsselung der Geschlechtlichkeit des Staates. S. 18.
9 ebd.
10 vgl. Pateman, Carole, 1994: Geschlechtervertrag. S. 74.
11 § 91 ABGB zitiert in: Floßmann, Ursula, 2004: Frauenrechtsgeschichte. S. 98.
12 Holland-Cunz, Barbara, 2004: Demokratiekritik. Zu Staatsbildern, Politikbegriffen und Demokratieformen. S. 469.
13 ebd.
14 vgl. ebd.
15 vgl. Ochel, Anke, 1989: Hausfrauenarbeit. Eine qualitative Studie über Alltagsbelastungen und Bewältigungsstrategien von Hausfrauen.
16 ebd. S. 84–85.
17 vgl. Bock/Duden 1977, zit. in: Beer, 2004: Sekundärpatriarchalismus. S. 56.
18 vgl. Ostner 1995, zit. in: Beer, 2004: Sekundärpatriarchalismus. S. 56.
19 Kickbusch, Ilona/Riedmüller, Barbara, 1984: Die armen Frauen. S. 7.
20 Becker-Schmidt, Regina, 2004: Doppelte Vergesellschaftung von Frauen. S. 69.
21 vgl. ebd.
22 vgl. Notz, Gisela, 2004: Hausarbeit, Ehrenamt, Erwerbsarbeit. S. 426.
23 Appelt, Erna, 1997: Familialismus. S. 117.
24 vgl. ebd. S. 117.
25 vgl. ebd. S. 122.
26 vgl. ebd. S. 126–127.

27 Kickbusch, Ilona/Riedmüller, Barbara, 1984: Die armen Frauen. S. 168.

28 vgl. AK-Frauenbericht 2005. S. 44.

29 Appelt, Erna, 1997: Familialismus. S. 127.

30 vgl. ebd. S. 127.

31 ebd. S. 133.

32 Kickbusch, Ilona/Riedmüller, Barbara, 1984: Die armen Frauen. S. 172.

33 vgl. ebd. S. 173.

34 ebd. S. 174.

35 ebd. S. 176.

36 ebd.

37 ebd.

38 ebd. S. 177.

39 vgl. ebd.

40 ebd.

41 Metz-Göckel, Sigrid, 1987: Die zwei ungeliebten Schwestern. S. 28.

42 Lerner, Gerda, 1995: Die Entstehung des Patriarchats. S. 295.

43 vgl. ebd.

44 vgl. Lerner, Gerda, 1984: Eine feministische Theorie der Historie. S. 410.

45 ebd.

46 Weber, Max, 1980: 28, zit. in: Löffler, 2001. S. 20.

47 Arendt, Hannah, 1996: 45, zit. in: Löffler, 2001. S. 20.

48 Schaeffer-Hegel, Barbara, 1996: Säulen des Patriarchats. S. 178.

49 ebd. S. 179.

50 ebd. S. 190.

51 vgl. ebd.

52 Rosenberger Sieglinde, K./Sauer, Birgit, 2004: Politikwissenschaft und Geschlecht. S. 144.

53 Schaeffer-Hegel, Barbara, 1996: Säulen des Patriarchats. S. 30.

54 Frau & Politik Nr. 6, Juni 1996. S. 13.

55 ebd.

56 ebd. S. 12.

57 ebd. S. 12–13.

58 ebd. S. 13.

59 Bundesministerium für Jugend und Familie (o. J.): Wo kommt unsere Zeit hin? S. 7.

60 ebd.

61 ebd.

62 vgl. ebd.

63 vgl. Frauenbarometer 2005, Studie für die MA 57. S. 18.

64 vgl. Metz-Göckel, Sigrid, 1987: Die zwei ungeliebten Schwestern. S. 28.

65 vgl. Kickbusch, Ilona/Riedmüller, Barbara, 1984: Die armen Frauen. S. 177.

66 vgl. AK-Frauenbericht, 2005. S. 7.

67 vgl. ebd. S. 72–73.

68 vgl. ebd. S. 10.

69 vgl. ebd.

70 vgl. Frauenbarometer 2005. S. 30.

71 vgl. Notz, Gisela, 2004: Hausarbeit, Ehrenamt, Erwerbsarbeit. S. 426.

72 vgl. Steininger, Barbara, 2006: Frauen im Regierungssystem in: Politik in Österreich. Das Handbuch. S. 254.

73 vgl. ebd.

74 vgl. ebd.

75 vgl. ebd. S. 256.

76 vgl. Frau & Politik 5/95. S. 6.

77 vgl. Frau & Politik 12/95. S. 6–8.

78 vgl. Standard vom 10. 8. 1995. S. 4.

79 vgl. Mesner/Steger-Mauerhofer (Hg.), 1994: Der Tod der Olympe de Gouges: 200 Jahre Kampf um Gleichberechtigung und Grundrechte: 2.–4. November 1993, Wien. S. 143.

80 vgl. Frau & Politik 10/94. S. 6–7.

81 SPÖ-Bundesgeschäftsstelle (Hg.): Beilage zur SPÖ-Information – Nr. 8/Dezember 1994, Arbeitsübereinkommen zwischen der Sozialdemokratischen Partei Österreichs und der Österreichischen Volkspartei. S. 30.

82 der Verfasserin).

83 vgl. Rossmann, Eva, 1996: Heim an den Herd? S. 116–118.

84 Freitag aktuell, 1995. S. 4.

85 ebd.

86 ebd.

87 vgl. Frau & Politik Nr. 6–8, Juli–August 1997. Es ist ein langjähriges Projekt der ÖVP, den Schutz und die Förderung von Ehe und Familie in der Bundesverfassung festzuschreiben. Dieses Ziel hatte beispielsweise der im Nationalrat eingebrachte ÖVP-Antrag vom 13.12.1984 (BlgNR 2139, XVI. GP). Aus einem Schreiben von Familienminister Dr. Martin Bartenstein an Frauenministerin Mag. Barbara Prammer vom 10. April 1998 (sechs Tage vor der Beschlussfassung des Art. 7 (2) des B-VG; Dokument befindet sich im Besitz von Barbara Prammer, Kopie bei der Verfasserin) geht hervor, dass der Familienminister abermals versuchte, Ehe und Familie in der Bundesverfassung zu verankern.

88 Frau & Politik Nr. 6-8, Juli-August 1997. S. 9.

89 Floßmann Ursula, 2004: Frauenrechtsgeschichte. S. 264.

90 vgl. Stenographisches Protokoll des Nationalrates vom 16.4.1998, XX. GP.

91 Artikel 7 (2) des B-VG zitiert nach Floßmann Ursula, 2004: Frauenrechtsgeschichte. S. 254.

92 Frauen und Recht (1994): Eine Dokumentation der Enquete der Bundesministerin für Frauenangelegenheiten und des Bundesministers für Justiz vom 18. und 19. Oktober 1993, Schriftenreihe der Bundesministerin, Band 4. S. 267–281.

93 Interview der Verfasserin mit Helene Klaar am 19.4.2006.

94 SPÖ-Bundesgeschäftsstelle (Hg.): Beilage zur SPÖ-Information – Nr. 8/Dezember 1994, Arbeitsübereinkommen zwischen der Sozialdemokratischen Partei Österreichs und der Österreichischen Volkspartei. S. 30.

95 Schwerpunkte der Arbeit der Frauenministerin vom 25.4.1995 (Kopie bei der Verfasserin).

96 ebd.

97 Frau & Politik Nr. 6, Juni 1995. S. 11.

98 ebd.

99 ebd.

100 ebd.

101 News 15/96 vom 11. April 1996.

102 ebd.

103 Brief vom Justizminister an die Frauenministerin, 20. Juli 1995 (Dokument im Besitz von Helene Klaar).

104 vgl. ebd.

105 Diese Auflistung findet sich im Anhang des Protokolls der 1. Sitzung der Arbeitsgruppe vom 18.9.1995 (Dokument im Besitz von Helene Klaar).

106 Vorläufiges Konzept der Frauenministerin, Stand 16.8.1995 Partnerschaftliche Aufteilung der Haus- und Pflegearbeit, Bearbeiterin: Dr. Anna Sporrer (Dokument im Besitz von Helene Klaar).

107 ebd.

108 vgl. ebd.

109 Kurzbericht über die 1. Sitzung am 18.9.1995 der Arbeitsgruppe zu Fragen der Änderung des Scheidungs-, Scheidungsfolgen- und Scheidungsverfahrensrechts des Justizministeriums (Dokument im Besitz von Helene Klaar).

110 ebd.

111 ebd.

112 ebd.

113 ebd.

114 ÖVP-Grundsatzprogramm vom 22.4.1995.

115 vgl. Kurzbericht über die 1. Sitzung am 18.9.1995 der Arbeitsgruppe des Justizministeriums (Dokument im Besitz von Helene Klaar).

116 ebd.

117 ebd.

118 ebd.

119 vgl. Appelt, Erna, 1997: Familialismus. S 117.

120 Kurzbericht über die 3. Sitzung am 22.2.1996 der Arbeitsgruppe des Justizministeriums (Dokument im Besitz von Helene Klaar).

121 ebd.

122 ebd.

123 Interview der Verfasserin mit Helene Klaar am 19.4.2006.

124 Kurzbericht über die 3. Sitzung am 22.2.1996 des Justizministeriums (Dokument im Besitz von Helene Klaar).

125 ebd.

126 ebd.

127 vgl. Holland-Cunz, Barbara, 2004: Demokratiekritik. S. 469 und Carole Pateman, 1994: Geschlechtervertrag. S. 74.

128 Kurzbericht über die 3. Sitzung am 22.2.1996 des Justizministeriums (Dokument im Besitz von Helene Klaar).

129 ebd.

130 Resümeeprotokoll über die Sitzung am 7.5.1996 der Unterarbeitsgruppe »Ehewirkungen« (Dokument im Besitz von Helene Klaar).

131 ebd.

132 vgl. Vorläufiges Konzept der Frauenministerin, Stand 16.8.1995 (Dokument im Besitz von Helene Klaar).

133 vgl. ebd.

134 Resümeeprotokoll über die Sitzung am 7.5.1996 der Unterarbeitsgruppe »Ehewirkungen« (Dokument im Besitz von Helene Klaar).

135 ebd.

136 ebd.

137 ebd.

138 ebd.

139 vgl. Holland-Cunz, Barbara, 2004: Demokratiekritik. S. 469.

140 Resümeeprotokoll über die Sitzung am 7.5.1996 der Unterarbeitsgruppe »Ehewirkungen« (Dokument im Besitz von Helene Klaar).

141 ebd.

142 ebd.

143 vgl. Resümeeprotokoll über die Sitzung am 23.5.1996 der Unterarbeitsgruppe »Scheidung, Scheidungsfolgen« (Dokument im Besitz von Helene Klaar).

144 ebd.

145 ebd.

146 ebd.

147 ebd.

148 vgl. ebd.

149 Brief vom Frauenministerium an das Justizministerium am 27.6.1996 (Dokument im Besitz von Helene Klaar).

150 ebd.

151 ebd.

152 ebd.

153 ebd.

154 ebd.

155 ebd.

156 Reformvorhaben, Stand der Überlegungen des Bundesministeriums für Umwelt, Jugend und Familie, Oktober 1996, S. 5 (Dokument im Besitz von Helene Klaar).

157 ebd.

158 ebd.

159 vgl. ebd.

160 ebd.

161 ebd.

162 vgl. Frau & Politik Nr. 2, Februar 1997.

163 vgl. ebd. S. 4.

164 ebd.

165 Auf die weiteren Bemühungen für eine Gesetzesnovelle im Ehe- und Familienrecht wird in Kapitel 7 eingegangen.

166 vgl. Frau & Politik Nr. 12/1, Dezember 1996/Jänner 1997. S. 13.

167 vgl. zum Folgenden die Ausführungen Helga Konrads in Kromus, Elisabeth, 2001: Zur Problematik von Einstellungsänderungen über Massenkommunikation im Rahmen von Sozialmarketing Kampagnen. Eine Analyse der Kampagne »Ganze Männer machen halbe/halbe«. (...) Diplomarbeit Univ. Wien, Wien.

168 Presse-Dokument der Frauenministerin vom 18.12.1996 (Kopie bei der Verfasserin).

169 ebd.

170 ebd.

171 vgl. Kromus, Elisabeth, 2001: Zur Problematik von Einstellungsänderungen über Massenkommunikation im Rahmen von Sozialmarketing Kampagnen. Eine Analyse der Kampagne »Ganze Männer machen halbe/halbe«. (...) Diplomarbeit Univ. Wien, Wien. S. 115.

172 Standard vom 19. Dezember 1996. S. 8.

173 vgl. ebd.

174 vgl. Standard vom 4. Februar 1997.

175 vgl. ebd.

176 Stenographisches Protokoll des Nationalrates vom 23.1.1997.

177 ebd.

178 ebd.

179 vgl. Kolbe, Wiebke, 2002: Elternschaft im Wohlfahrtsstaat. S. 87–91.

180 vgl. SPÖ-Bundesgeschäftsstelle (Hg.): Beilage zur SPÖ-Information – Nr.8/Dezember 1994, Arbeitsübereinkommen zwischen der Sozialdemokratischen Partei Österreichs und der Österreichischen Volkspartei. S. 30.

181 34. Ordentlicher Bundesparteitag 1995 der SPÖ. Anträge und Resolutionen. S. 46–47.
182 ebd.
183 ebd.
184 SPÖ-Bundesfrauenkonferenz, Anträge am 8. April 1997.
185 ebd.
186 ebd.
187 35. Ordentlichen Bundesparteitag der SPÖ in Linz am 9. April 1997, Anträge und Resolutionen. S. 39.
188 ebd.
189 Grundsatzprogramm der ÖVP 1995.
190 ebd.
191 ebd.
192 ebd.
193 Rossmann, Eva1996: Heim an den Herd? S. 114–115.
194 vgl. Kickbusch, Ilona/Riedmüller, Barbara, 1984: Die armen Frauen. S. 168.
195 vgl. Ostner 1995, zit. in: Beer, 2004: Sekundärpatriarchalismus. S. 56.
196 vgl. Kickbusch, Ilona/Riedmüller, Barbara, 1984: Die armen Frauen. S. 173.
197 vgl. News 14/95 vom 24.8.1995. S. 23.
198 ebd.
199 ebd. S. 25; die folgenden Zitate dieses Streitgespräches siehe ebd..
200 Stenographisches Protokoll des Nationalrates vom 23.4.1996; die folgenden Zitate aus dieser Debatte des Nationalrates siehe ebd.
201 ebd.
202 Stenographisches Protokoll des Bundesrates vom 16.1.1997; die folgenden Zitate aus dieser Debatte des Bundesrates siehe ebd.
203 Profil Nr. 11 vom 11. März 1996.
204 ebd.
205 ebd.
206 News vom 24.8.1995.
207 ebd.
208 ebd.
209 Die Presse vom 14.6.1995.
210 Rossmann, Eva, 1996: Heim an den Herd? S. 89.
211 Wiener Zeitung vom 12.5.1996.

212 News Nr. 15 vom 11.4.1996. S. 10.
213 ebd.
214 ebd.
215 Stenographisches Protokoll des Nationalrates vom 23.4.1996; die folgenden Zitate aus dieser Debatte im Nationalrat siehe ebd.
216 Stenographisches Protokoll des Bundesrates vom 16.1.1997; die folgenden Zitate aus dieser Debatte des Bundesrates siehe ebd.
217 ebd.
218 vgl. News 5/97.
219 ebd.
220 ebd.
221 ebd.
222 Stenographisches Protokoll des Nationalrates vom 23.4.1996, die folgenden Zitate aus dieser Debatte im Nationalrat siehe ebd.
223 Vgl. Holland-Cunz, Barbara, 2004: Demokratiekritik. S. 469 bzw. Zitat/Anm. 13.
224 Stenographisches Protokoll des Nationalrates vom 23.4.1996.
225 ebd.
226 ebd.
227 Neue Freie Zeitung vom 11.4.1996.
228 Stenographisches Protokoll des Bundesrates vom 16.1.1997; die folgenden Zitate aus dieser Debatte des Bundesrates siehe ebd.
229 Salzburger Nachrichten vom 7.1.1997.
230 ebd.
231 ebd.
232 Stenographisches Protokoll des Nationalrates vom 23.4.1996.
233 ebd.
234 Stenographisches Protokoll des Bundesrates vom 16.1.1997.
235 ebd.
236 vgl. Kapitel 3.4, Patriarchat.
237 Salzburger Nachrichten vom 7.1.1997.
238 vgl. ebd.
239 Stenographisches Protokoll des Bundesrates vom 16.1.1997.
240 vgl. Frau & Politik 3/97. S. 8–9.
241 ebd.
242 vgl. ebd.
243 News 7/97, folgende Zitate siehe ebd.

244 vgl. Kapitel 5.2
245 Resümeeprotokoll über die Sitzung am 10.2.1997 der Unterarbeitsgruppe »Ehewirkungen« (Dokument im Besitz von Helene Klaar).
246 ebd.
247 ebd.
248 ebd.
249 ebd.
250 ebd.
251 ebd.
252 vgl. ebd.
253 ebd.
254 ebd.
255 vgl. ebd.
256 ebd.
257 vgl. Resümeeprotokoll der Unterarbeitsgruppe »Ehewirkungen« vom 11.2.1997 (Dokument im Besitz von Helene Klaar).
258 ebd.
259 ebd.
260 Interview der Verfasserin mit Helene Klaar am 19.4.2006.
261 vgl. Resümeeprotokoll über die Sitzung am 11.2.1997 der Unterarbeitsgruppe »Ehewirkungen« (Dokument im Besitz von Helene Klaar).
262 ebd.
263 ebd.
264 ebd.
265 vgl. ebd.
266 vgl. Resümeeprotokoll über die Sitzung am 13.2.1997 der Unterarbeitsgruppe »Scheidung, Scheidungsfolgen« (Dokument im Besitz von Helene Klaar).
267 vgl. ErläutRV zum Eherechts-Änderungsgesetz 1999, BlgNR 1653, XX. GP.
268 ebd.
269 Gesetzestext aus der Broschüre des Bundesministerium für Frauenangelegenheiten und Verbraucherschutz, 1999: Was tue ich, wenn … es zur Scheidung kommt? S. 147.
270 vgl. Resümeeprotokoll über die Sitzung am 11.2.1997 der Unterarbeitsgruppe »Ehewirkungen« (Dokument im Besitz von Helene Klaar).

271 vgl. ErläutRV zum Eherechts-Änderungsgesetz 1999, BlgNR 1653, XX. GP.

272 vgl. ebd.

273 Interview der Verfasserin mit Helene Klaar am 19.4.2006.

274 ebd.

275 Gesetzestext aus der Broschüre des Bundesministeriums für Frauenangelegenheiten und Verbraucherschutz, 1999: Was tue ich, wenn … es zur Scheidung kommt? S. 148.

276 vgl. ErläutRV zum Eherechts-Änderungsgesetz 1999, BlgNR 1653, XX. GP.

277 ebd.

278 vgl. Vorläufiges Konzept der Frauenministerin, Stand 16.8.1995. Partnerschaftliche Aufteilung der Haus- und Pflegearbeit, Bearbeiterin: Dr. Anna Sporrer (Dokument im Besitz von Helene Klaar).

279 Stenographisches Protokoll des Nationalrates vom 16.6.1999.

280 Schwerpunkte der Arbeit der Frauenministerin vom 25.4.1995 (Kopie bei der Verfasserin).

281 Gesetzestext aus der Broschüre des Bundesministeriums für Frauenangelegenheiten und Verbraucherschutz, 1999: Was tue ich, wenn … es zur Scheidung kommt? S. 153.

282 Interview der Verfasserin mit Helene Klaar am 19.4.2006.

283 ebd.

284 ebd.

285 Stenographisches Protokoll des Nationalrates vom 16.6.1999.

286 vgl. Stenographisches Protokoll des Nationalrates vom 16.6.1999.

287 ebd.

288 ebd.

289 ebd.

290 ebd.

291 ebd.

292 ebd.

293 ebd.

294 ebd.

295 ebd.

296 vgl. ebd.

297 vgl. Wiener Zeitung vom 17.6.1999. S. 2.

298 vgl. Die Presse vom 17.6.1999. S. 7.

299 vgl. Rossmann, Eva, 1997: Frauensache. S. 123–127.
300 vgl. Pollinger, Susanne, 1999: Das FrauenVolksBegehren. S. 27–28.
301 ebd.
302 vgl. Rossmann, Eva, 1996: Heim an den Herd? S. 112.
303 vgl. Freitag aktuell vom 27.10.1995.
304 vgl. ebd.
305 ebd.
306 Vorschläge der Frauenministerin zu Frauen-Gleichstellung, Arbeit und Familie (Kopie im Besitz der Verfasserin).
307 vgl. ebd.
308 Salzburger Nachrichten vom 23.2.1996.
309 vgl. www.oegb.at: 14.3.2006.
310 vgl. www.frauen.spoe.at: 14.3.2006.
311 ebd.
312 vgl. http://steiermark.orf.at: 14.3.2006.
313 vgl. www.renner-institut.at/frauenakademie: 14.3.2006.
314 Familie als Versorgungsinstitution, den Frauen kommt dabei die Aufgabe der Versorgungsarbeit zu, sozialstaatliche Regelungen stützen dies ab.
315 vgl. Floßmann, Ursula, 2004: Frauenrechtsgeschichte. S. 249.
316 ebd.
317 Frau & Politik Nr. 6, Juni 1996. S. 13.
318 vgl. Schaeffer-Hegel, Barbara, 1996: Säulen des Patriarchats. S. 30.
319 vgl. Ochel, Anke, 1989: Hausfrauenarbeit. S. 84–85.
320 vgl. Kickbusch, Ilona/Riedmüller, Barbara, 1984: Die armen Frauen. S. 173.
321 Jansen, Mechtild, 1994: Nicht mehr Totem, nicht neues Tabu: Gleichstellung weiterdenken. S. 154.
322 vgl. Schaeffer-Hegel, Barbara, 1996: Säulen des Patriarchats. S. 190.

Literatur

APPELT, Erna (1997): Familialismus. Eine verdeckte Struktur im Gesellschaftsvertrag, S. 114–136 in: Kreisky, Eva/Sauer, Birgit (Hg.): Das geheime Glossar der Politikwissenschaft. Geschlechtskritische Inspektion der Kategorien einer Disziplin, Frankfurt/Main, New York.

APPELT, Erna (1999): Geschlecht-Staatsbürgerschaft-Nation. Politische Konstruktionen des Geschlechterverhältnisses in Europa, Frankfurt/New York.

BECKER, Ruth/KORTENDIEK, Beate (Hg.) (2004): Handbuch Frauen- und Geschlechterforschung. Theorie, Methoden, Empirie, Wiesbaden.

BECKER-SCHMIDT, Regina (2004): Doppelte Vergesellschaftung von Frauen: Divergenzen und Brückenschläge zwischen Privat- und Erwerbsleben, S. 62–71, in: Becker, Ruth/Kortendiek, Beate (Hg.): Handbuch Frauen- und Geschlechterforschung. Theorie, Methoden, Empirie, Wiesbaden.

BEER, Ursula (2004): Sekundärpatriarchalismus: Patriarchat in Industriegesellschaften, S. 56–61, in: Becker, Ruth/Kortendiek, Beate (Hg.): Handbuch Frauen- und Geschlechterforschung. Theorie, Methoden, Empirie, Wiesbaden.

BUNDESMINISTERIN FÜR FRAUENANGELEGENHEITEN UND VERBRAUCHERSCHUTZ (HG.) (1999): »Was tue ich, wenn … es zur Scheidung kommt? Rechtsratgeberin für Frauen in Ehekrisen, Autorin: Dr. Helene Klaar, Wien.

BUNDESMINISTERIUM FÜR JUGEND UND FAMILIE, Abteilung II/1 (Hg.)(o. J.): Wo kommt unsere Zeit hin? Beruf – Familie – Freizeit. Das Zeit-Budget der österreichischen Familien. (Studie des Österreichischen Statistischen Zentralamtes), Wien.

FLOßMANN, Ursula (2004): Frauenrechtsgeschichte. Ein Leitfaden für den Rechtsunterricht, Linzer Schriften zur Frauenforschung Band 26, Universitätsverlag R. Trauner, Linz.

FRAUEN UND RECHT (1994): Eine Dokumentation der Enquete der Bundesministerin für Frauenangelegenheiten und des Bundesministers für Justiz vom 18. und 19. Oktober 1993, Schriftenreihe der Bundesministerin, Band 4, Wien.

HIEDEN-SOMMER, Helga (1995): ›Frauenpolitik‹ Geschlechterverhältnisse. Wissenschaftliche Grenzziehungen, Klagenfurt.

HOLLAND-CUNZ, Barbara (2004): Demokratiekritik: Zu Staatsbildern, Politikbegriffen und Demokratieformen, S. 467–475, in: Becker, Ruth/Kortendiek, Beate (Hg.): Handbuch Frauen- und Geschlechterforschung. Theorie, Methoden, Empirie, Wiesbaden.

JANSEN, Mechtild (1994): Gleichstellung weiterdenken, S. 141–157, in: Biester, Elke/Holland-Cunz, Barbara/Maleck-Lewy, Eva et.al. (Hg.): Gleichstellungspolitik – Totem und Tabus. Eine feministische Revision, Frankfurt/New York.

KAMMER FÜR ARBEITER UND ANGESTELLTE FÜR WIEN (HG.) (2006): AK-Frauenbericht 1995–2005. Arbeit – Chancen – Geld, Wien. *Kickbusch*, Ilona/*Riedmüller*, Barbara (Hg.) (1984): Die armen Frauen. Frauen und Sozialpolitik, Frankfurt am Main.

KOLBE, Wiebke (2002): Elternschaft im Wohlfahrtsstaat. Schweden und die Bundesrepublik im Vergleich 1945–2000, Frankfurt /Main.

KROMUS, Elisabeth (2001): Zur Problematik von Einstellungsänderungen über Massenkommunikation im Rahmen von Sozialmarketing Kampagnen. Eine Analyse der Kampagne »Ganze Männer machen halbe/halbe«. (...) Diplomarbeit Univ. Wien, Wien.

LERNER, Gerda (1995): Die Entstehung des Patriarchats, Frankfurt/New York.

LERNER, Gerda (1984): Eine feministische Theorie der Historie, in: Wiener Historikerinnen (Hg.): Die ungeschriebene Geschichte. Historische Frauenforschung. Dokumentation des 5. Historikerinnentreffens in Wien, 16. bis 19. April 1984, Wien.

LÖFFLER, Marion (2001): Herrschaft als zentrales Konzept zur

Entschlüsselung der Geschlechtlichkeit des Staates, in: Kreisky, Eva et. al. (Hg.): EU. Geschlecht. Staat, Wien, S. 15–32.
MESNER Maria/STEGER-MAUERHOFER, Hildegard (Hg.) (1994): Der Tod der Qlympe de Gouges. 200 Jahre Kampf um Gleichberechtigung und Grundrechte. Eine Dokumentation des Renner-Instituts über das Symposium vom 2.–4. November 1993, Wien.
METZ-GÖCKEL, Sigrid (1987): Die zwei ungeliebten Schwestern. Zum Verhältnis von Frauenbewegung und Frauenforschung im Diskurs der neuen sozialen Bewegungen, in: Beer, Ursula (Hg.): Klasse, Geschlecht, Feministische Gesellschaftsanalyse und Wissenschaftskritik, Bielefeld.
NOTZ, Gisela (2004): Hausarbeit, Ehrenamt, Erwerbsarbeit, S. 420–428, in: Becker, Ruth/Kortendiek, Beate (Hg.): Hand buch Frauen- und Geschlechterforschung. Theorie, Methoden, Empirie, Wiesbaden.
OCHEL, Anke (1989): Hausfrauenarbeit. Eine qualitative Studie über Alltagsbelastungen und Bewältigungsstrategien von Hausfrauen, Reihe: Gemeindepsychologische Perspektiven, hg. von Heiner Keupp, Band 1.
OSTNER, Ilona (1981): Die Interessen des Staates an der Familie sind nicht die Interessen der Frauen, in: Lebenswelt und soziale Probleme. Verhandlungen des 20. Deutschen Soziologentages zu Bremen 1980, Frankfurt/M./New York.
PATEMAN, Carole (1994): Geschlechtervertrag in: Appelt, Erna/Neyer, Gerda (Hg.): Feministische Politikwissenschaft, Wien.
POLLINGER, Susanne (1999): Das FrauenVolksBegehren. Hintergründe, Analysen und Erfahrungen einer Aktivistin, erschienen in: Floßmann, Ursula (Hg.): Linzer Schriften zur Frauenforschung, Band 13, Linz.
ROSENBERGER, Sieglinde K./SAUER, Birgit (Hg.) (2004): Politikwissenschaft und Geschlecht. Konzepte – Verknüpfungen – Perspektiven, Wien.
ROSSMANN, Eva (1996): Heim an den Herd? Sparpaket, Arbeits platzmangel, konservative Trends- und was Frau dagegen tun kann, Wien/Bozen.

ROSSMANN, Eva (1997): Frauensache. Beruf, Familie, Politik. Ein Ratgeber, Wien/Bozen.

SPÖ-BUNDESGESCHÄFTSSTELLE (HG.): Beilage zur SPÖ-Information – Nr. 8/Dezember 1994, Arbeitsübereinkommen zwischen der Sozialdemokratischen Partei Österreichs und der Österreichischen Volkspartei.

SCHAEFFER-HEGEL, Barbara (1996): Säulen des Patriarchats. Zur Kritik patriarchaler Konzepte von Wissenschaft – Weiblichkeit – Sexualität und Macht, Pfaffenweiler.

SCHUBERT, Klaus/BANDELOW, Nils C. (Hg.) (2003): Lehrbuch der Politkfeldanalyse, München/Wien.

STEININGER, Barbara (2006): Frauen im Regierungssystem in: Dachs, Herbert/Gerlich, Peter/Gottweis, Herbert et. al. (Hg.): Politik in Österreich. Das Handbuch, Wien.

Quellen und Materialien

Der Standard. Österreichs unabhängige Tageszeitung. Jg. 1996, 1997, 1998, 1999.

Die Presse. Tageszeitung für Österreich. Jg. 1995, 1999.

Frau & Politik. Informationsdienst der SPÖ-Frauen. Jg. 1994, 1995, 1996, 1997.

Freitag aktuell. SPÖ. Jg. 1995, 1998.

Kurier. Unabhängige Tageszeitung für Österreich. Jg. 1997.

Neue Freie Zeitung. FPÖ. Jg. 1996.

News. Österreichisches Magazin. Jg. 1995, 1996, 1997.

Profil. Das unabhängige Nachrichtenmagazin Österreichs. Jg. 1996.

Salzburger Nachrichten. Unabhängige österreichische Tageszeitung. Jg. 1996, 1997, 1998.

Wiener Zeitung. Tageszeitung für Wien. Amtsblatt der Republik Österreich. Jg. 1996, 1999.

Abbildung aus einer Power Point-Präsentation bei der Frauenakademie 2006 des Renner-Instituts von Gabriele Schmid, Arbeiterkammer Wien.

Antrag der Abgeordneten Dr. Marga Hubinek, Bayr, Dr. Ermacora, Dr. Hafner, Dr. Khol, Dr. Leitner und Kollegen betreffend ein Bundesverfassungsgesetz über den Schutz und die Förderung von Ehe und Familie und die Achtung des Elternrechtes, 2139 der Beilagen zu den Stenographischen Protokollen des Nationalrates XVI. GP. vom 13.12.1984.

Brief von Justizminister Dr. Nikolaus Michalek an Frauenministerin Dr. Helga Konrad, 20.7.1995.

Brief des Frauenministeriums an das Justizministerium vom 27.6.1996

Brief von Familienminister Dr. Martin Bartenstein an Frauenministerin Mag. Barbara Prammer vom 10.4.1998.

Bundesministerium für Justiz, Entwurf zum Ehe- und Scheidungsrechts-Änderungsgesetz, (ME 288, XX. GP.) vom 20.8.1998.

Erläuternde Bemerkungen zur Regierungsvorlage zum Eherechts-Änderungsgesetz

1999, 1653 der Beilagen zu den Stenographischen Protokollen des Nationalrates XX.
GP. vom 24.3.1999.
Frauenbarometer 2005, IFES Studie erstellt für die MA 57 – Frauenabteilung der Stadt Wien, Oktober 2005.
Information zur Vergabe der 600 Millionen Schilling Bundesmittel für Kinderbetreuungseinrichtungen. Eine Information von Frauenministerin Dr. Helga Konrad vom 12.7.1996.
Interview mit Drin. Helene Klaar am 19.4.2006.
Kurzbericht über die 1. Sitzung am 18.9.1995 der Arbeitsgruppe zu Fragen der Änderung des Scheidungs-, Scheidungsfolgen- und Scheidungsverfahrensrechts des Justizministeriums.
Kurzbericht über die 3. Sitzung am 22.2.1996 der Arbeitsgruppe zu Fragen der Änderung des Scheidungs-, Scheidungsfolgen- und Scheidungsverfahrensrechts des Justizministeriums.
Presse-Dokument der Frauenministerin vom 18.12.1996.
Regierungsübereinkommen 1996: Maßnahmen, die besonders die Frauen betreffen.
Eine Information von Frauenministerin Dr. Helga Konrad, Wien, März 1996.
Reformvorhaben. Eherecht, Scheidungsrecht, Scheidungsfolgenrecht, Scheidungsverfahrensrecht, Stand der Überlegungen des Bundesministeriums für Umwelt, Jugend und Familie, Leiter der Abteilung IV/6, Dr. Ewald Filler, Oktober 1996.
Regierungsverhandlungen 1996. Ein Entwurf vom 12.2.1996. Frauen – Gleichstellung, Arbeit und Familie.
Regierungsvorlage zum Bundesgesetz Eherechts-Änderungsgesetz 1999 – EheRÄG 1999), 1653 der Beilagen zu den Stenographischen Protokollen des Nationalrates XX. GP. vom 24.3.1999.
Resümeeprotokolle der Unterarbeitsgruppe «Ehewirkungen» der Sitzungen am 7.5.1996, 10.2.1997 und 11.2.1997.
Resümeeprotokoll über die Sitzung der Unterarbeitsgruppe »Scheidung, Scheidungsfolgen« am 23.5.1996 und 13.2.1997.
SPÖ 34. Ordentlicher Bundesparteitag, Anträge und Resolutionen 1995 und 35. Ordentlicher Bundesparteitag, Anträge und Resolutionen 1997.

SPÖ-Bundesfrauenkonferenz, Anträge 1997.
Schwerpunkte der Arbeit der Frauenministerin für das Jahr 1995 vom 25.4.1995.
Vorschläge der Frauenministerin zu Frauen-Gleichstellung, Arbeit und Familie.
Vorläufiges Konzept der Frauenministerin, Stand 16.8.1995, Partnerschaftliche Aufteilung der Haus- und Pflegearbeit, Bearbeiterin: Dr. Anna Sporrer.

Internetquellen

www.frauen.spoe.at/14.3.2006
www.oegb.at/14.3.2006
www.oevp.at/9.3.2006
www.parlament.gv.at/13. 3. 2006
www.parlament.gv.at/21.2.2006
www.parlament.gv.at/12.4.2006
www.parlament.gv.at/8.5.2006
www.parlinkom.gv.at/11.5.2006
www.renner-institut.at/frauenakademie 14.3.2006
http://steiermark.orf.at/stories/14.3.2006

Unser Gesamtprogramm finden Sie auf
www.milena-verlag.at